自然災害ハンドブック

山と溪谷社・編

家族と自分を守るために、
いますぐ危機管理を!

山と溪谷社

はじめに

個人でできる自然災害への備え

日本の国土を形成する美しい山や台地、そして海や川。これらの自然のすべてには、火山や地震、津波、台風などの歴史が刻まれています。私たちの暮らしや社会は、自然災害と隣り合わせにあったといっても過言ではありません。日本最古の書物『日本書紀』にも、地震の記録があります。

阪神・淡路大震災、あるいは奥尻島を襲った地震津波のような規模の自然災害では、とりうる対応策は限られています。しかし、わずかな対応の差が生死を分け、被災後の生活を大きく左右したのもまた事実です。過去というにはあまりに近すぎる生々しい記憶から、私たちが学ぶべき教訓はたくさんあるのです。

「天災は忘れたころにやってくる」と言ったのは、地球物理学者の寺田寅彦ですが、近年になって東海地震をはじめとする地震予知体制や法整備が整いつつあります。また、台風をはじめ、津波や火山などの自然災害による被害を最小限に抑えるための取り組みが、国や地方自治体のレベルで進められています。しかし残念ながら、個人や企業レベルでの対応が充分になされているとはいえないようです。

そこで本書では、地震や津波、火災(特に二次的な火災)、火山、台風、雷、そして救急法について、基礎的な知識と個人や企業レベルでとりうる対応策をコンパクトにまとめました。どれも特別なことではなく、できる範囲でやれること、知っておくべきことだけを選んで掲載しました。

万が一の事態が起こらないに越したことはありません。しかし、時が来たときにはすでに遅すぎた、ということがあってはなりません。

本書が少しでも多くの人々の生命を救い、生活を守ることに役立てるよう願います。

目次 CONTENTS

目次 CONTENTS

本書の特徴

1．ビニール表紙

ビニール製の表紙を使っているので、強度が高く、汚れを気にせずに使えます。紙のカバーを外して非常用持ち出し袋に入れておけば、万が一の時にも現場で使うことができます。

2．どこからでも読める

本書は見開きごとに構成されていて、どこからでも読むことができます。関連のある項目ごとにまとまっていますので、興味のあるページを読んだら、その前後のページへと読み進めてください。

3．各章の扉のツメ

各章の扉には、その章で解説されている項目が記されており、検索しやすいように各ページの「ツメ」と対応しています。そのため、読みたいページにすぐたどり着くことができます。

4．参照項目

そのページに関連する参照項目は、下段に ►►► で示してあります。あわせてお読みください。

第1章
地震

なぜ地震は起こるのか？

地震列島とも呼ばれる日本は、年間1万回以上もの地震が起こる。これは、世界で起こる地震の約1割を占めるといわれている。これほどまで多発する地震のメカニズムはどのようなものだろう。

地球の内部の動き

現在のように科学が進歩していなかったころ、地震は地中の大ナマズが暴れるために起こるといわれてきた。明治時代になってからも地震の原因は、地中の空洞が崩れるため、マグマの爆発が原因など、さまざまな説があった。

地震のメカニズムを知るためには、地球の構造を知る必要がある。地球は半径約6400kmの球の形をしており、いちばん外側に「地殻」、その下に「マントル」、そして中心部に「核」という構造を持つ。マントルは非常にゆっくりとしたスピードで対流しており、それに伴って地殻とマントルの上層部は、年間数cmの速度で、水平方向に動き続けている。このマントルの一部と地殻を合わせた深さ70～200kmまでの層を「プレート」と呼ぶ。プレートは山脈や海溝《かいこう》などの地形をつくり出す原因でもあり、火山活動や地震の発生にも、大きく関係してくる。

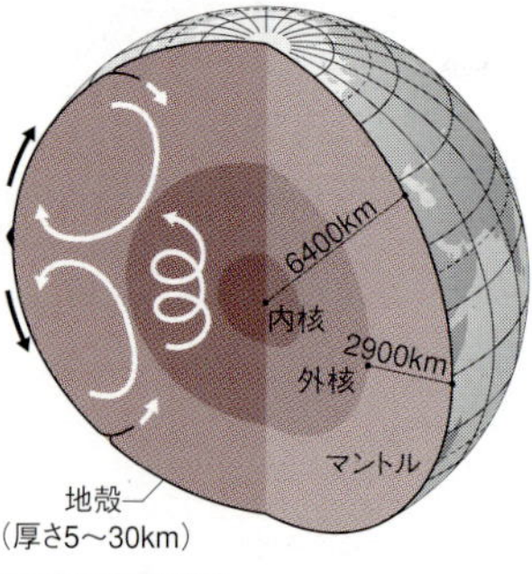

地球の内部構造
地球の内部はおおむね3層の構造になっており、ゆで卵に例えられる。いちばん外側の卵の殻に当たる部分は地殻、白身の部分はマントル、そして黄身の部分は核と呼ばれる。核はさらに内核と外核に分かれる。マントルはゆっくり対流し、プレートを動かしている

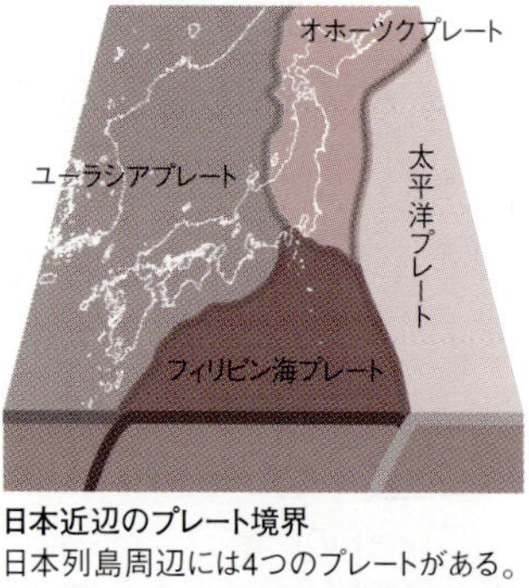

日本近辺のプレート境界
日本列島周辺には4つのプレートがある。それぞれのプレートは地下で複雑に入り組んでいる。これらプレートは絶えず運動を続けており、エネルギーが蓄積される境界部分が集中している日本では、地震が多発する

▶▶▶ なぜ火山は噴火するのか？ P.102

プレート運動と地震

地球の表面は、計12個のプレートでモザイク状に覆われている。水平運動するプレートは、海嶺《かいれい》で生み出されて、海溝に沈み込んでいく。プレートが沈み込む境界が陸地の場合、ヒマラヤのような大山脈が形成される。

地震が発生するのは、主にプレートが沈み込む境界付近である。ふたつのプレートが沈み込んでいく場合、潜り込むプレートと先端を破壊されながら引きずり込まれるプレートに分かれる。引きずり込まれていくプレート側では、ひずみが蓄積される。一定期間引きずり込まれた後、蓄積されたひずみが跳ね上がる現象が起こる。これが地震である。

日本に地震が多いわけ

日本列島近辺には、「太平洋プレート」「オホーツクプレート」「フィリピン海プレート」「ユーラシアプレート」の、4つのプレートが存在し、それぞれの沈み込む境界が集中している。日本で起こる巨大地震の多くは、大陸側の「ユーラシアプレート」と、海洋側の「太平洋プレート」「フィリピン海プレート」のプレートの境界で起こる「プレート間地震」がほとんどだ。

しかし、阪神大震災はこのプレート間地震ではなく、「内陸地震」と呼ばれるものだった。プレートの境界で陸側のプレートは沈み込むだけでなく、水平方向にも間接的にひずみを蓄積する。その跳ね返しによって内陸でも地震が起こる。これが内陸地震である。

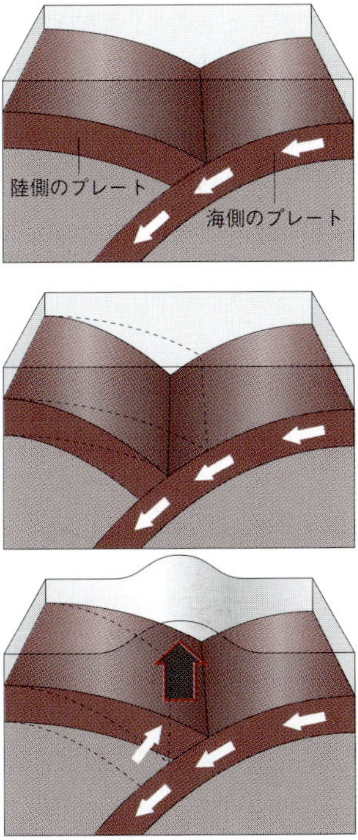

プレート間地震の発生
海側のプレートが潜り込むのに引き込まれて、陸側のプレートにひずみが蓄積される。それが跳ね上がると、陸側で巨大地震が起こる。これは何度も繰り返されるため、数百年間隔でマグニチュード8級の地震が起こるといわれている。注目される東海地震は、このプレート間地震である

内陸地震と活断層

内陸地震の阪神大震災は、活断層によって引き起こされた。断層とは、岩盤のずれのことで、地震によって震源の近くの岩盤が破壊されることでつくり出される。震源近くの断層のことを「震源断層」、その断層が地表に姿を表したものを「地表地震断層」と呼ぶ。断層は地震の傷跡なのである。

地表地震断層は、時間の経過とともに、風化や水による浸食作用で、その形を消していく。しかし、消える前にまた地震が起こると、古い断層の上にさらに断層ができる。これが繰り返されると、しだいに地形として確立する。こうしてつくられた地形が活断層である。

日本の主な活断層

日本で確認されている活断層は数多い。なかでも政府は98の主な活断層帯の調査を支援している。これにより、長期的な地震予想を行なえ、調査結果は随時発表される

地表地震断層の種類

活断層は繰り返し地震が起こった証拠で、何度も破壊されているために非常にもろい。活断層が確認されている場所付近は、今後も地震が起こる可能性がある。地表地震断層は、垂直方向にかかる圧力や斥力《せきりょく》(互いに遠ざかる力)、また水平方向にかかる圧力や斥力によって、その形が異なる。水平方向で左右に異なる圧力がかかった場合、横ずれ断層が出現する。それに垂直方向への圧力が加わると、正断層や逆断層が現れる。

直下型地震とは

マスコミなどで使われる「直下型地震」という言葉は、じつは学術的には存在しない。一般的に直下型地震とは、内陸で発生した震源の浅い地震のことを指す。こうした地震は、陸地の下に震源を持ち、震源が居住区域にも近いことから、地震の規模のわりに大きな被害をもたらしかねない。

首都圏で大震災が起こるとすれば、この直下型地震であるといわれている。東京湾の沖ではフィリピン海プレートと太平洋プレートが沈み込んでいる。プレート間地震の原因であるひずみの蓄積が起こっているのは、ちょうど首都圏の真下なのである。1923年の関東大震災も、いわゆる直下型地震だったといわれる。

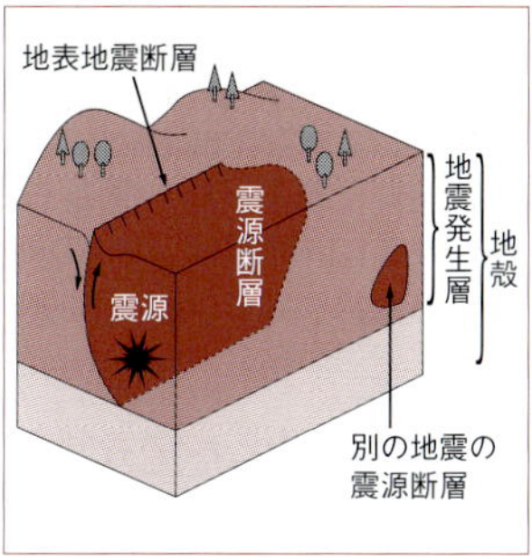

地震断層
地震の傷跡である活断層は、何度も地震が起こることでつくり出される。地表地震断層は目に見えるが、地中には地震断層があり、岩盤が非常にもろいため、ずれを起こしやすくなっている

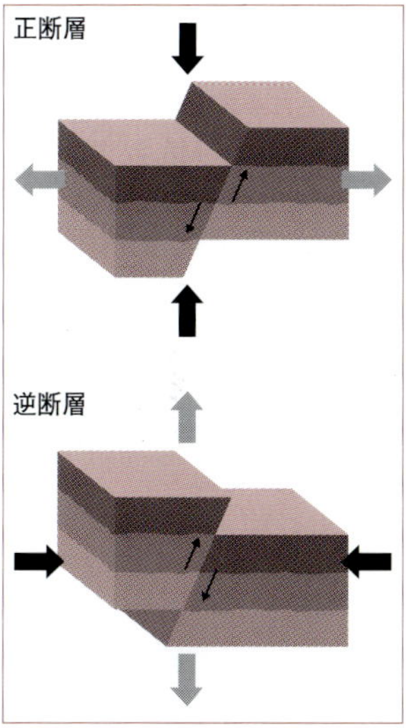

断層の種類
遠ざかる力(斥力)が加わって、断層の上部が下にずれたものを「正断層」という。これとは逆に、圧縮する力が加わって、断層上部が上にずれたものを「逆断層」という。実際には、横方向にもずれるものが少なくない

過去の大地震

**地震列島である日本は、何度も巨大地震を経験してきた。
予測の難しい地震は、いつの時代も大きな被害をもたらしている。
過去の地震を知ることは、未来の地震を予測することにもつながる。**

富士山も噴火した宝永地震

日本の歴史上、最も古いとされる地震は『日本書紀』に出てくる、416年の「允恭天皇の大和河内地震」である。そこでは"地震"とのみ記述されている。以降、マグニチュード(M)7以上の地震の記述は、書物に頻繁に登場する。なかでも日本で最も大きかったとされる地震が、1707年の「宝永地震」だ。M8.4と推定されるこの地震では、駿河湾から四国西部まで、約600kmにわたって揺れが発生。少なくとも2万人の死者を出し、6万戸以上の家屋が倒壊した。また、津波が太平洋沿岸を襲い、約2万戸の家屋が流出した。

宝永地震の被害はそれだけにとどまらず、約1カ月後に富士山の噴火も引き起こした。地震の力によってマグマだまりのある地殻が圧縮されたことが原因だといわれている。

連鎖する地震

1854年の安政地震は、M8.4の東海地震と南海地震が、わずか32時間のタイムラグで起こった。まず11月4日に東海地震が発生、その被害は日本海側の福井県にまで及んだという。翌日、紀伊半島と四国を南海地震が襲った。フィリピン海プレートの沈み込む南海トラフで起こる地震にこうした連鎖が見られ、数時間レベルの連鎖はこの一例のみだが、数年単位での連鎖は過去4例が確認されている。

関東大震災
近年まれに見る大震災。火災による被害が大きく、死者・行方不明者14万2000人以上、家屋は80万戸以上が被害を受けた

過去の大震災

発生年	名　称	マグニチュード	被　害
416年	允恭天皇の大和河内地震	不明	被害記載なし
684年	天武天皇の南海・東海地震	8.25	家屋・寺社の倒壊、山崩れで死者多数。津波により船も多数沈没
869年	貞観の三陸沖地震	8.3	城郭、垣壁などが崩れ落ちた。津波により、溺死者約1000人
887年	仁和の南海・東海地震	8〜8.5	京都で家屋の倒壊による圧死者多数。津波でも、多くの人が溺死
1096年	永長の東海地震	8〜8.5	東大寺の巨鐘が落下。津波により家屋・寺社400以上が流出
1099年	康和の南海地震	8〜8.3	津波が太平洋岸を襲い、土佐で田畑1000町以上が水没
1361年	正平の南海地震	8.25〜8.5	阿波で津波による被害大。家屋1700戸が流出し、60人余りが溺死
1498年	明応の東海地震	8.2〜8.4	紀伊から房総、甲斐に大きな揺れ。各地を襲った津波で4万人以上が溺死
1611年	慶長の三陸沖地震	8.1	津波による被害大。北海道東部でも死者が出た。三陸沿岸で多数の家屋が流出
1677年	延宝の房総沖地震	8	小名浜などで死者・行方不明者130人以上。房総で溺死246人以上
1703年	元禄地震	7.9〜8.2	小田原城下は全滅。家屋等の倒壊8000以上。死者2300人以上
1707年	宝永地震	8.4	死者2万人以上。家屋の倒壊6万以上。津波で2万以上が流出。富士山が噴火
1854年	安政東海地震	8.4	地震による家屋の倒壊・焼失3万戸。死者2000〜3000人。津波による被害も大
1891年	濃尾地震	8	内陸地震として日本最大。全壊・半壊合わせて家屋22万戸に被害。死者7273人
1923年	関東地震	7.9	関東大震災。死者・行方不明者14万2000人以上。家屋80万戸以上に被害
1944年	東南海地震	6.8	死者・行方不明者1223人。家屋全壊1万7599戸、半壊3万6520戸
1946年	南海地震	8	中部以西の西日本に被害。死者1330人、火災も合わせ家屋3万8000戸が被害
1948年	福井地震	7.1	死者3769人、家屋倒壊3万6184戸、半壊1万1815戸、焼失3851戸
1978年	宮城県沖地震	7.4	死者28人、負傷者1325人、家屋6757戸に被害。新興開発地に被害が集中
1995年	兵庫県南部地震	7.3	阪神大震災。死傷者4万6000人以上。家屋24万戸以上に被害。高速道路等も倒壊

国内の地震危険エリア

地震のメカニズムから、プレート境界面の近くや活断層周辺で地震が起こりやすい。そのなかでも、危険とされる区域では、将来の地震予測が行なわれている。

内陸活断層の危険度ランキング

順位	活断層名	30年以内の地震発生確率	予想マグニチュード
1	神縄・国府津ー松田断層帯	0.2～16%	M7.5程度
2	糸魚川ー静岡構造線断層帯	14%	M8程度
3	境峠・神谷断層帯	ほぼ0～13%	M7.6程度
4	阿寺断層帯	6～11%	M6.9程度
4	三浦半島断層群	6～11%	M6.6以上
4	富士川河口断層帯	0.2～11%	M8程度
7	琵琶湖西岸断層帯	0.09～9%	M7.8程度
8	山形盆地断層帯	ほぼ0～7%	M7.8程度
8	櫛形山脈断層帯	ほぼ0～7%	M6.8～7.5程度
8	伊那谷断層帯	ほぼ0～7%	M7.7程度

［出典:地震調査研究推進本部資料］

大地震に備えるため、国内ではさまざまな機関で地震の研究が行なわれている。文部科学省の地震調査研究推進本部では、プレート間地震や活断層付近の内陸地震について、精密な調査データをもとに算出した、将来各地域で起こりうる地震の確率を発表している。数十年～数百年先までの長期予測のなかで、最も近い今後30年の予測データでは、宮城県沖でM7.5前後の地震が99%の確率で起こると導き出されている。しかし、阪神大震災を発生させた活断層での確率は、1995年当時0.4～8%(暫定)だったことを考えれば、確率の問題ではないことがわかる。

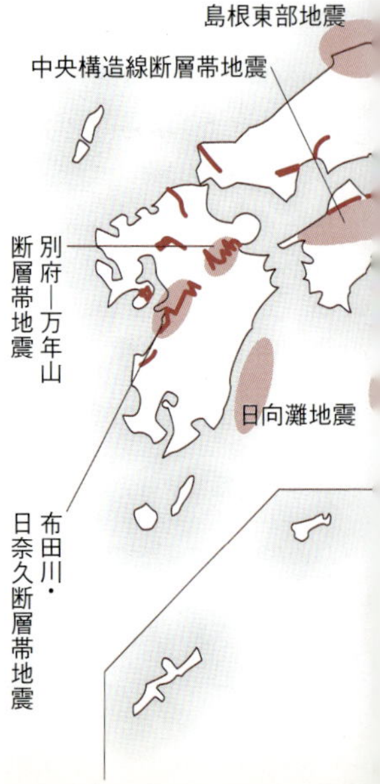

日本の主な活断層と地震危険地帯

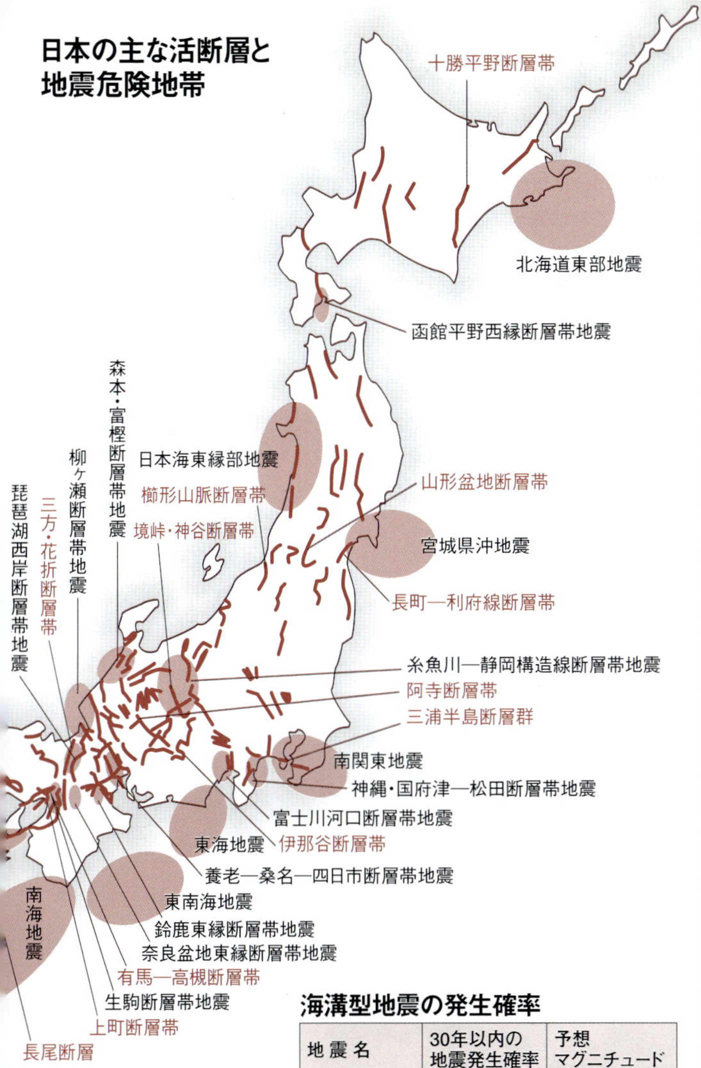

海溝型地震の発生確率

地 震 名	30年以内の地震発生確率	予想マグニチュード
東海地震	86％	M8程度
東南海地震	60％程度	M8.1前後
南海地震	50％程度	M8.4前後
宮城県沖地震	99％	M7.5程度

［出典：地震調査研究推進本部資料］

東海地方

現在、日本で最も懸念されているのが東海地震である。1854年の安政東海地震から約100年後、1944年に東南海地震が発生した。これは同じプレートのひずみの蓄積によって起こった。しかし、東南海地震では浜名湖以東が震源域から免れている。これは、完全にひずみが跳ね返らなかったためではないかといわれている。そのため、近い将来、愛知県東部から静岡県全域にかけて大規模な揺れが襲う危険がある。

九州・中国・四国地方

西日本全域に被害をもたらすといわれる南海地震は、地震前活動期に入った可能性がある。活動期とは、90〜150年周期で繰り返されるM8級の大規模な南海地震の前後に、M6〜7程度の地震が頻発することだ。1995年の兵庫県南部地震(阪神大震災)、2000年の鳥取県西部地震は、南海地震の前活動期の一部とされている。こうしたデータをもとにした南海地震予測では、2040年ごろにM8級の大地震が発生すると考えられている。しかし、東海地震と連動して起こる可能性もあり、油断はできない。

東北・北海道地方

宮城県沖のプレート境界で地震が起こる可能性は、現段階でいちばん高い。最近では1978年に、宮城県沖地震が起こった。M7.4の規模だったが、死者28人、負傷者

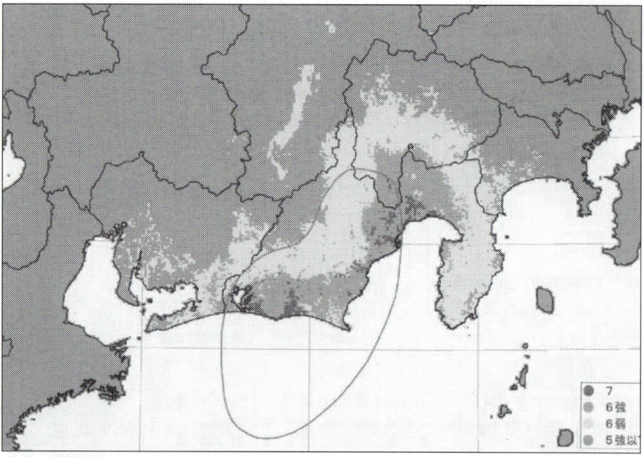

東海地震で想定される震度分布図
[第11回中央防災会議「東海地震に関する専門調査会」資料より]

1325人を出し、1183戸の住宅が全壊した。宮城県沖地震はプレート間地震で、周期は約40年といわれる。2020年ごろまでに地震が起こる確率はかなり高い。

また、北海道にも大規模な地震が起こる可能性がある。函館に近い活断層帯「函館平野西縁断層帯」がその要因だ。活動の間隔は7000～9000年とされ、最新の活動は7800～8800年前だと推定されている。M6.5～7.2程度の地震がいつ起こっても不思議ではない。

首都圏・関東地方

首都圏は地震の多い地域である。これは、関東平野の真下で、プレートが重なり合っているためだ。1703年の元禄地震、1923年の関東地震は、重なり合ったプレートで起こった直下型と呼べるものだった。巨大な関東地震の周期は約200年といわれているが、震度5級の地震は頻発する可能性が高い。

近畿・北陸地方

阪神大震災は活断層のひとつ「野島断層」が原因だったが、大阪にはさらに注意すべき活断層がある。大阪を縦断する「上町断層」だ。約1万年周期といわれながら、すでに最近の活動から1万5000年が経過している。上町断層が地震を引き起こせば、M7.5級の直下型地震が大阪を襲う。

北陸地方は比較的、大規模な地震は少ないが、1948年の福井地震のように、活断層による地震もある。備えは万全にしておきたい。

地震の予知はどこまで可能か

プレートに挟まれている日本列島は、有史以来、地震と共存してきた。今では、過去の地震データや各地の地質、水位などの調査データをもとに、地震活動をある程度予測できるまでになっている。国の地震調査委員会は現在、確率論的地震動予測地図の作製に取り組んでいる。しかし、これも長期的な予測で確率でしかなく、確実な“予知”は難しい。天気予報の降水確率とは違い、99%の確率であろうと、0.01%の確率であろうと、地震が起こる可能性という意味では同じで、いつ起こっても不思議ではないのである。そのため、確率論的地震ハザードマップは、防災対策や地震保険の目安として活用されることになりそうだ。

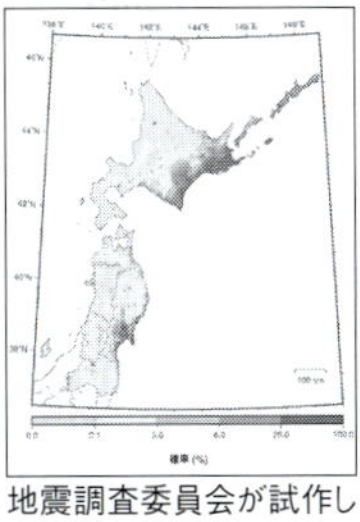

地震調査委員会が試作した確率論的地震動予測地図

地震の強さと階級

地震が起こったとき、ニュースでは
「マグニチュード」と「震度」のふたつで地震の大きさを伝える。
だが、マグニチュードが大きければ震度が大きいかといえば、そうではない。

マグニチュードと震度の違い

マグニチュード(M)は「地震のエネルギー」を決める数値であり、震度は「揺れの大きさ」を示す数値である。そのため、M7の地震が起きても、震源が深ければ震度は低い。逆に、M6でも、震源が浅いところにあれば、震度は高くなる。日本の地下では、M1程度の地震は、1分間に数回起こっている。M6程度のエネルギーは広島型の原子爆弾1個分に相当する。1960年に起こった世界最大級のチリ地震はM9.5で、全長900kmにも及ぶ断層を残した。

震度は1906年に制定されて以来、人の体感する揺れや家屋の被害に基づいて決められてきた。震度階級は震度0〜6の7段階が長い間用いられたが、1948年の福井地震で、震度6を上回る被害が出たために、震度7が追加された。1995年の兵庫県南部地震は、初めて震度7が認定された地震だが、発表されたのは発生から3日後。これは、基準となる建物の被害状況(30%以上倒壊)を調べてから震度を発表したためで、「震度発表が早ければ、対応も違っていたのでは」との声も上がった。その結果、気象庁は震度階級と判定方法を見直し、現在では、地震の揺れの強さを示す加速度に周期や継続時間を加えて体感震度に近い数値を導き出す「震度計」を用い、震度を計測している。現在の震度階級は震度0〜7のなかで5弱、5強、6弱、6強を分け、10段階で認定される。

気象庁発表の地震情報

マグニチュードの計算方法には、日本では1953年から坪井式と呼ばれる計算式が気象庁で採用されていたが、データの蓄積に伴う誤差を修正するため、2003年に現在の計算式に改定された。この計算式で計られたマグニチュードは、正確には「気象庁M」と呼ばれる。マグニチュードの計算式は世界で統一されておらず、テレビなどで発表されるマグニチュードは、気象庁独自の計算方法で導かれた値。ちなみに右ページの表は正式な認定基準ではなく、体感した場合の解説表である。

震度階級

震度0

震度1

震度2

震度3

震度4

震度階級	状　況
0	人は揺れを感じない。
1	屋内にいる人の一部が、わずかな揺れを感じる。
2	屋内にいる人の多くが、揺れを感じ、眠っている人の一部が目を覚ます。
3	屋内にいる人のほとんどが、揺れを感じる。恐怖感を覚える人もいる。
4	かなりの恐怖感。一部の人は身の安全を図ろうとする。眠っている人のほとんどが、目を覚ます。置物が倒れることも。
5弱	多くの人が身の安全を図ろうとする。一部の人は、行動に支障を感じる。棚にある食器類や本棚の本が落ちることがある。家具が移動することも。
5強	非常な恐怖を感じる。多くの人が、行動に支障を感じる。棚にある食器類、書棚の本の多くが落ちる。変形によりドアが開かなくなることがある。ブロック塀も崩れる。
6弱	立っていることが困難になる。固定していない重い家具の多くが転倒する。開かなくなるドアも多い。壁のタイルや窓ガラスが破損、落下。耐震性の低い木造住宅は倒壊。
6強	立っていることができず、這わないと動けない。固定していない重い家具のほとんどが移動・転倒し、戸が外れて飛ぶこともある。コンクリート建造物も破壊される。
7	揺れにほんろうされ、自分の意志で行動できない。ほとんどの家具が大きく移動し、飛ぶものもある。補強されているブロック塀も破損する。大きな地割れなども発生。

震度5弱

震度5強

震度6弱

震度6強

震度7

地震で想定される被害

地震が起こったときに備え、政府機関ではさまざまな防災対策がとられている。対策をとるために予測された東海地震の被害は、東海地方全域に及んでいる。

地震によるさまざまな被害

地震はただ揺れるだけでは終わらない。その後、間髪入れずに津波が沿岸部を襲い、内陸部では倒壊した建物などから二次的な火災が発生する。山岳部では土砂崩れや地割れに巻き込まれることもある。こうした要因で、被害は拡大する。被害は、死者・行方不明者といった「人的被害」に始まり、家屋の倒壊・流出などの「建物被害」、水道や電気、ガスなどの供給ラインが破壊される「ライフライン被害」がある。

人的被害

地震の揺れによる人的被害は生き埋めや圧死によるもの。生き埋めの場合は、救出されるまでの時間が長くなればなるほど、生存率は低くなる。沿岸部では、津波による被害も発生し、行方不明者や溺死者が出る。土砂崩れなどによる人的被害もある。こうした災難に見舞われぬよう、日々備えておくことが重要である。

建物被害

直接的な被害は、損壊の度合いによって分けられる。揺れによっ

阪神大震災の被害と東海地震、首都直下型地震の被害想定

項　　目	阪神大震災	東海地震被害想定（予知なし）	首都直下型（東京湾北部）地震被害想定
地域の人口	約547万人	約374万人（静岡県内）	約4100万人（1都6県）
マグニチュード	M7.3	M8程度	M7.3程度
震度7の区域	約30km²	約131km²	なし
人的被害〔死者、重・軽傷者〕	約5万人	約11万人	約22万人
物的被害〔建物被害（大・中）〕	約24万9000棟	約49万棟	約85万棟（全壊のみ）
津波被害	なし	あり（死者約220人）	なし

［阪神大震災における被害の数字は消防庁災害対策本部資料より］

►►► 津波による過去の被害 P.74、過去の二次災害火災 P.82

て建物が完全に崩れ落ち、修復が不可能なものを「全壊」、延べ床面積の20～70％が破壊されるが残りの部分を修復することで再度住居として使用できる程度のものを「半壊」と呼ぶ。免震・耐震性の高い建物でも、半壊することはありうる。また、建物被害としては津波によって海に流出したり、土砂崩れで壊される場合もある。

さらに、二次的な火災によって消失することもある。阪神大震災では、地震直後から火災が相次ぎ、7000棟以上の家屋が焼失した。特に、電気が復旧した直後に、破損した電気系統がもとで火災となったケースが多かった。

ライフライン被害

ライフラインとは、水道、下水道、電力、都市ガス、電話・通信を指し、地震によってこれらの供給に支障が出る。どれも日常生活では供給されてあたりまえのものだけに、供給されなくなったときの不便さは計り知れない。

道路・鉄道被害

阪神大震災で高速道路や新幹線の高架が倒壊したように、強い揺れにより交通機関が分断されることもある。

首都直下型地震の被害

首都直下型地震では、建物倒壊やライフライン関連への被害に加え、生産停止、サービス停止、国内外への影響なども間接的な被害として考えられる。電車や高速道路の交通被害をはじめ、インターネット、携帯電話など通信手段にも大きな被害が出る。

中央防災会議「首都直下型地震対策専門調査会」は、危険度の高い東京湾北部地震が冬の午後6時に起こった場合、経済的な被害は間接被害も合わせて最大で112兆円に上ると試算している。しかもこの試算には、予測の難しいネット上での商取引や株価変動、消費者への心理的な影響は含まれていない。建物は液状化による倒壊や火災も含め、85万棟が被害を受け、死者の数は1万1000人を超えるとされる。

東京湾北部地震では、震度7の地域はほとんどないが、都心東部直下M6.9の地震が起こった場合、荒川区や台東区、港区、江東区などで震度7の被害が予想されている。また、人的被害に限れば、都心西部直下でM6.9の地震が発生した場合がもっとも大きいと想定され、死者の数は最悪の場合で1万3000人に達すると言われている。

►►►二次災害の火災を防ぐ P.84

東海地震で想定される被害

中央防災会議「東海地震対策専門調査会」は2003年に、想定震源域に基づく被害を検討し、発表した。これによれば、阪神大震災を上回る被害が、広域に発生することが予測されている。予測は冬の朝5時(阪神大震災と同じケース)と、秋の昼12時(関東大震災と同じケース)、さらに、火災の被害が大きいと思われる冬の夕方16時について行なわれた。

人的被害が最も多く予測されたのは、朝5時のケースである。これは人々の多くが家の中にいるため、倒壊で生き埋めになったり、圧死することが多いためだ。また、迅速な行動が求められる津波からの避難も遅れてしまうため、地震による死亡者数は、約7900〜9200人とされている。

建物の全壊は、揺れによる被害や液状化、津波、山崩れなどを合計すると約21万棟にも上る。これに二次的な火災による被害が加わると、最大で約26万棟が全壊することになる。これに半壊の数が加われば、途方もない被害になる。

ライフラインと交通被害

東海地震はライフラインも破壊する。水道は、強い揺れと液状化の影響で供給施設や配管が損傷。地震直後に約550万人が断水に見

被害予測

	建物の全壊棟数	死者数
揺れ	約17万棟　静岡県、山梨県南部、愛知県東部	約6700人
液状化	約3万棟　軟弱地盤など	なし
津波	約7000棟　静岡県、三重県の沿岸部など	住民の避難意識の程度により約400〜1400人
火災	約1〜5万棟	約200〜600人
崖崩れ	約8000棟　静岡県など	約700人
合計	約23〜26万棟	約7900〜9200人

朝5時に地震が起こった場合の被害予測。風速によって、建物の全壊棟数、死者数が異なる。地震の揺れにより水門が動かなくなった場合、津波によってさらに300〜700人が死亡すると推定されている。[出典:中央防災会議「東海地震対策専門調査会報告」]

経済的被害予測

	突然起こった場合	警戒宣言が発令された場合
個人住宅、企業施設、ライフラインなど直接的被害	約26兆円	約22兆円
生産停止、交通停止、他地域への波及など間接的被害	約11兆円	約9兆円
合計	約37兆円	約31兆円

過去の地震災害の実態を踏まえて推計された経済的被害予測。生産停止やほかの地域への間接被害も大きい。警戒宣言が発令されれば被害は減るが、発令中は警戒体制地域内の産業活動の停止や交通の影響などで、1日当たり2000万円の被害を被るとされる
[出典:中央防災会議「東海地震対策専門調査会報告」]

舞われる。復旧が進んでも、1週間後にはまだ約280万人が断水状態にあるという。下水道も被害を受け、損害延長は約500kmに上り、約23万人の生活に支障が出るとされている。

電力供給もストップする。電柱や地中線の損傷などで地震直後は約520万人が停電に見舞われる。発電機能も低下し、かなり広域にわたる被害をもたらす。都市ガスも供給施設や配管損傷で、1週間後でも290万人が供給を受けられないままでいるという。配管の損傷は二次的な火災を引き起こす危険性があると、予測には記されている。電話・通信被害は地震直後で52万人に影響が出るとされる。

交通機関は、山崩れや架線被害、構造物の被害などが起こる可能性が高く、東海道新幹線と東名高速道路が一定期間利用困難になると考えられている。復旧の予測までは立てられていない。

避難生活を余儀なくされる人々

東海地震で家屋に被害を被る人は約160万人に上ると見られる。避難所へは断水世帯から避難してくる場合もあり、1カ月後には約440万人が避難所で生活することになる。医療機能の支障も深刻で、対応が困難な重傷者数は最大2万7000人と見積もられている。

仮設トイレは、初日ですでに1万基が不足すると予測されている。食料も、じつは満足な備えは1日分しかない。2日目以降、不足が発生すると予測され、飲料水さえ満足に供給できなくなるとされている。冬場をしのぐための毛布は最大15万枚、肌着も最大で15万枚が不足することになりそうだ。

現在、こうした不足を埋めるべく、防災体制を整えつつあるが、完全ではないことを肝に銘じておきたい。

阪神大震災の負傷原因

	打撲	骨折等	挫滅等	計
建物の下敷き	24	15	21	60
家具の下敷き	26	17	8	51
重量物の落下	14	2	2	18
つまずき	5	1	0	6
転倒・墜落	2	10	0	12
その他	16	5	9	30
小計	87	50	40	177

［出典:日本火災学会調査報告書］

震度7区の被災2800世帯に対する調査結果。建物の下敷きや家具の下敷きになって負傷した人の数は多い

東海地震の警戒宣言

現在のところ唯一、予知の可能性があるとされる東海地震だが、
予知された後は警戒宣言が出されることになる。
警戒宣言とは、いったいどのようなものなのか。

警戒宣言とは

警戒宣言は「2〜3日以内(または数時間以内)に、マグニチュード8程度の大地震が発生することが予想される」という警告である。地震発生の予測は非常に困難とされるが、唯一、発生の予知が可能だとされるのが東海地震で、小規模な地震や地殻変動、地下水など186項目に及ぶ詳細な観測データから、一定の周期で発生する大地震の兆候を見極めることで予知できるとされている。

観測は24時間体制で続けられ、データになんらかの変化が見られると、東海地震発生に結びつくものかどうかを解析。東海地震に直結すると判断された場合に、まず地震防災対策強化地域判定会が招集される。判定会で東海地震発生の危険性が高いと判断されれば、気象庁長官を通して内閣総理大臣に報告され、閣議決定の後に警戒宣言が発令される。

観測データに変化が見られたからといって、毎回、判定会が招集されるわけではない。データの解析結果が東海地震に直結しない場合は、気象庁から「解説情報」が出される。解説情報は、東海地震の震源域とされる付近で地震が発生したときに発表される。また、東海地震に関係があるかどうかわからない場合、「観測情報」が出される。こちらは、しばらくの間、慎重に様子を見る必要がある場合に発表される。

警戒宣言が発令されたら

警戒宣言発令後は、各自治体や警察、自衛隊などが、大規模地震対策特別措置法(大震法)に定められた行動に移る。交通機関や学校、商業施設などは規制の対象となり、普段の生活行動が限定される。宣言の発令後に混乱しないよう、覚えておきたい。

●交通

避難路や緊急車両の通路を確保するため、交通規制が行なわれる。それ以外の道路では、車は徐行運転を心掛ける。バス・電車(新幹線も含む)は運行中止。運行中のバ

ス・電車は最寄りの駅で停車し、乗客を降ろすことになる。

●病院、銀行

病院は外来の診療が中止になる。銀行も原則として営業を停止するが、一部のATM(現金自動預入支払機)は使うことができる。

●学校

幼稚園も含め、閉園・閉校になる。学校にいる生徒は下校(集団下校)。幼稚園児は、場合によっては保護者が引き取りに行く必要がある。学校ごとに異なるため、確認しておくことが重要。

●コンビニ、デパート

デパートをはじめ大型商業施設は原則として営業停止。しかし、コンビニは可能な限り営業を継続。

●ライフライン

電気、ガス、水道、電話は使用可能だが、できる限り使用しない。

大規模地震対策特別措置法とは

1978年に制定された大規模地震対策特別措置法(大震法)は、予知が可能なことを前提として、大規模地震の被害を最小限にとどめるためにつくられたもの。これにより、住民の安全を最優先した規制や命令を下すことができる。

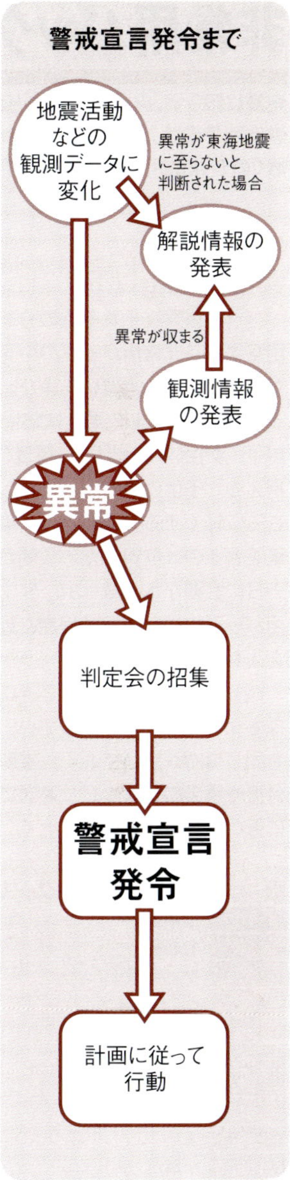

非常用バッグの用意

地震に限らず、火山や津波など自然災害はいつ起きるかわからない。避難所での生活に最低限必要なものをいつでも持ち出せるようにしておくのが非常用バッグ。各家庭で必ず準備しておきたい。

男性は15kg、女性は10kg以下

バッグは家族それぞれの分を用意する。非常用バッグの中身が重すぎては、避難に支障が出るので、目安として男性は15kg以下、女性は10kg以下に重量を抑える。子供の非常用バッグはさらに軽くする必要がある。重量をとるのは飲料水だ。人間が1日に必要な水の量は3ℓ。非常用バッグには、1日分程度だけを入れておく。

バッグは、いざというときに探さなくていいよう、必ずいつも同じ場所へ置いておく。玄関付近や勝手口付近など、避難口に近いところに準備しておく。

阪神大震災で役立ったグッズ

1位	懐中電灯
2位	食料品
3位	キッチンラップ
4位	ビニール袋
5位	携帯ラジオ
6位	トイレットペーパー
7位	乾電池
8位	ウェットティッシュ
9位	軍手
10位	小銭

本当に必要だったもの

阪神大震災時、避難所生活において役立ったものの第1位は「懐中電灯」だった。暗闇は不安をかき立てるため、明かりは必ず必要である。第2位は「食料品」で、第3位に「キッチンラップ」、第4位「ビニール袋」と続く。キッチンラップは断水時の食事に(洗わなくて済む)、ビニール袋はトイレでかなり重宝された。11位以降には、冬だったこともあり「使い捨てカイロ」が挙げられている。意外と下位だったのが「飲料水」である。なかにはジュース1本で1日をしのいだ人もいたようだ。昔に比べてペットボトルの飲料が増えていることも、飲料水の需要を下げたといわれている。

身に着けておきたいもの

生き埋めになることを想定すると、非常用バッグに笛を入れておいても使えない。就寝時には身に着けて寝るようにしたい。メガネを使用している人は、予備のメガネをベッドわきに用意しておきたい。

►►► 避難する P.50

非常用バッグの中身［必需品］

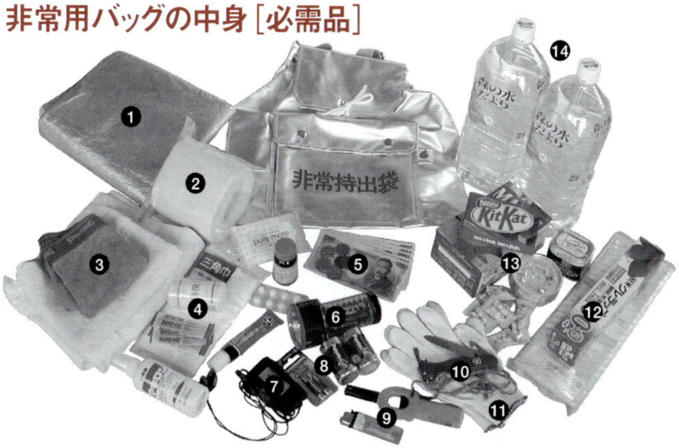

❶レスキューシート
アルミ素材などを使用し、コンパクトながら断熱効果が非常に高い

❷ティッシュ、生理用品
トイレットペーパー、携帯ティッシュは多めに入れておきたい。女性の場合、生理用品は必需品

❸下着類、タオル
最低でも1回分の下着の替えを備えておく。タオルは1〜2枚

❹応急医療品（常備薬）
傷薬や包帯などの応急医療品。セットで売られているものもある。持病のある人は常備薬も必ず用意しておく

❺現金
最低限必要だと思われる額を入れておく。目安としては5000円〜1万円。千円札と公衆電話用の小銭に分けておくとよい

❻懐中電灯
暗闇で行動するときに必ず必要になる。壊れにくい頑丈なものを選んでおく

❼携帯ラジオ
被災時の情報を得るために必要。うわさやデマに振りまわされないこと。小さなものでも充分。懐中電灯にラジオ機能がついているものもある。また、電池が不要のタイプもある

❽予備電池
携帯ラジオと懐中電灯用の予備電池に

❾ライター
100円ライターでも着火性能に問題はない。1本あれば約1000回着火できる。2本準備したい

❿缶切り
小型のものを選ぶ。多機能ナイフなどを備えておくと便利

⓫軍手
一般的な軍手

⓬ビニール袋、キッチンラップ
ビニール袋は水の流れないトイレなどでも重宝する。キッチンラップは食器に敷いて使えば、水が使えないときに洗わなくてよい

⓭食品
乾パンや缶詰、ビスケット、チョコレートなど、水を使わずに食べられるものを入れる。詰めすぎないよう注意

⓮飲料水
2〜4ℓほど。長期保存が可能なものを選び、男性ならば1.5ℓ入りのペットボトルを2〜3本。女性でも2本は入れておきたい

●その他
家族それぞれのバッグに防災カードを入れておく。家長は家族全員分のコピーを持っておいてもいい。保険証のコピー、あれば年金手帳のコピーなども必要

水と食料の備蓄

**水がなければ数日で命を落とす。
食料がなければ1週間以上暮らすのは厳しい。
万が一に備えて充分な備蓄を心掛けたい。**

ペットボトル
一般に市販されているペットボトルの水の賞味期限は約1年。備蓄用に売られているペットボトルであれば、賞味期限は5年。家族の人数に合わせて箱単位で備えておく必要がある

保存食
レトルト食品やインスタント食品など、水だけで調理できるものが好ましい。白米など主食となる食料は多めに保存しておく。最近は、おかずの種類がかなり増えているが、カロリーや栄養価を考えて備蓄しておきたい。バランス栄養食などを備えておくのもよい

飲料水の備蓄量

人が１日に必要とする水の量は約3ℓといわれる。一人暮らしであればペットボトル２本で済むが、４人家族ならば、１日で最低12ℓが必要になる。大地震が発生し、交通機関がまひしていることを考えれば、救援物資が届くまで数日～１週間は見ておく。４人家族なら、必要量は４日で約84ℓにもなる。そのため、ペットボトルだけで保存するのは難しく、ペットボトルでは2ダース(24本)48ℓを備蓄し、残りは水道水をポリタンクにためておく方法が賢明である。一般に市販されているペットボトルの水は賞味期限が約１年だが、備蓄用に売られている賞味期限５年のペットボトルもある。ポリタンクは10ℓのものを数個用意しておく。ただ、水道水は2～3日で飲めなくなるため、入れ替えが必要だ。そのまま捨てるのではなく、洗濯用水などに利用してから、新しい水道水に替えるようにする。

風呂に水はためておくべきか

震災に備えて、風呂おけに水を

►►► 避難所での水・食料 P.58

ためておけといわれる。消火用水にも使えるし、いざというときは飲料水にもできる。大量の水の備蓄が可能だが、ためおきだけでは充分ではない。阪神大震災時には、揺れによって大半の水が外にこぼれてしまった例もある。風呂おけに水をためながら、別に飲料水を確保しておくのが最もよい方法だ。

食料の備蓄

水に比べて生命を危険にさらすという意味では位置づけが低い食料だが、阪神大震災時には慢性的に食料が不足していた。非常用バッグには、水を使わずに食べられるものを入れておきたいが、備蓄には、水だけで調理できるものを備えておく。乾麺やレトルト食品、インスタント食品、フリーズドライ食品など、いわゆる保存食と呼ばれるものが最適である。できる限り、カロリーと栄養価の高いものを選んでおきたい。

コンロと食器

調理にはカセットコンロや鍋が必要になる。食料とともに備えておきたい。また、食事用の食器類も、使い捨てタイプではなく、使いまわせる樹脂製のものを備えておくと重宝する。

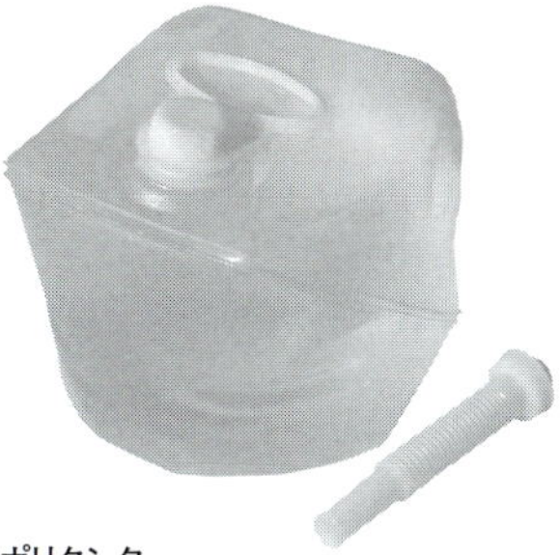

ポリタンク
水の備蓄に使えるだけでなく、避難所での生活では、配給される生活用水の持ち運びにも威力を発揮する

カセットコンロ
温めなどの調理に欠かせないカセットコンロ。できれば替えのガスカセットも多めに備蓄しておきたい

食器類
使い捨てのものはゴミばかりが増える。そのため、使いまわしが可能で割れない樹脂製のものを家族分、用意しておくこと

家具の転倒落下を防ぐ

阪神大震災において、ケガをした神戸市民の多くが、家具の転倒によるものだった。転倒防止のための補強を怠ってはいけない。

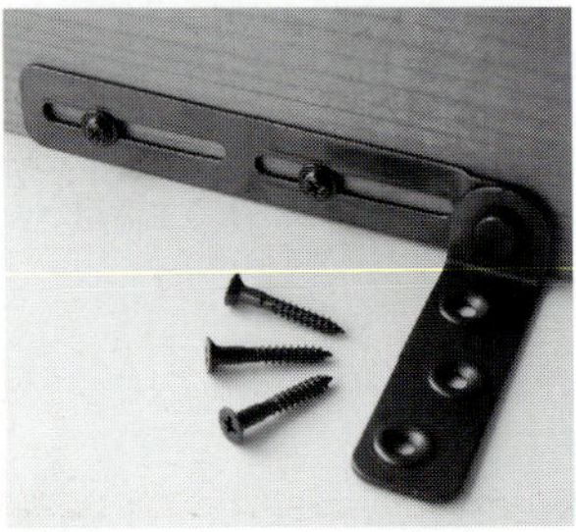

L字金具
鴨居や柱にネジで固定する。壁が石こうボードの場合は使えないので注意

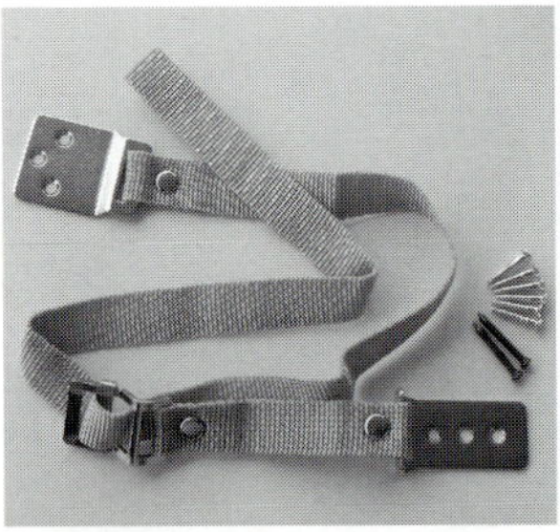

固定ベルト
柱と家具が離れているときは、ベルトやワイヤータイプのものが良い

転倒しやすい家具を補強する

転倒を防ぐ必要があるのは、重いタンスや本棚、食器棚など。手前側に板を１枚敷いて、壁にもたれかけさせるだけでもずいぶん違う。最も簡単な転倒防止の補強は、L字金具で壁に固定してしまう方法である。この場合、壁の種類に注意する。壁が薄い板で奥が空洞になっていたら、地震のときにネジが抜けてしまい意味がない。その場合は、柱や鴨居にワイヤーで固定する。L字金具のほかにも、ベルト式の固定具が市販されている。

壁がコンクリートの場合、ネジなどで固定するのは難しい。そうした場合にも、市販の転倒防止器具が有効だ。なかでも重宝するのは、天井と家具との間に挟む、突っぱり式の固定具である。壁の種類に関係なく家具の転倒を防止でき、設置方法も簡単である。

AV・OA機器にも注意

テレビやパソコン、パソコンモニターなども重量があり、地震の揺れで落下するとケガのもとになる。こうした機器は両面テープで机やテレビラックに貼りつけておくと、落下の危険を減らすことができる。のりの跡が残らないような、ゲル状のマットや、固定バンドなど、専用の耐震器具も販売されている。

ピアノの固定

約1tもあるグランドピアノや300kgほどのアップライトピアノは、転倒よりも横滑りが危険である。地震で大きく横滑りすると、壁を突き破ることもある。滑ってくるピアノに激突されたり、壁との間に挟まれると、致命的だ。ピアノ用の固定器具で、滑りにくくしておく。

その他の家具

子供用の二段ベッドは、地震によって上下が外れてしまうこともある。外れてしまうと、下で寝ている子供は命を落としかねない。接続部を布テープで補強しておくだけでも、危険は減る。

テレビを載せているテレビラックやスチール製の棚など、車輪のある家具はすべて、動かないようにしておきたい。揺れによってあらゆる家具が自分に向かってくる可能性がある。

また、タンスや本棚の上には、なるべくものを置かないようにする。重ねた家具は必ず金具などで連結しておく。大きく揺れたとき、棚の上のものは下に落ちるのではなく、宙を飛ぶことになる。どうしても置きたい場合は、割れものや重いものを絶対に避ける。

突っぱり式器具
突っぱり式の転倒防止器具は設置が簡単。壁の種類にも関係なく使える。高さを調節できるので、あらゆる転倒危険家具に使える

ふんばる君
家具の前下部に敷くだけの合成樹脂。家具を後ろにもたれかけさせ、手前への転倒を防ぐ。樹脂なので、横幅を調節可能

ガラスの飛散・食器の飛び出しなどを防ぐ

食器棚などガラス面のある家具は、
転倒を防いでも中身がガラスを突き破って飛び出してくる。
ガラスの飛散防止も忘れてはいけない防災要素である。

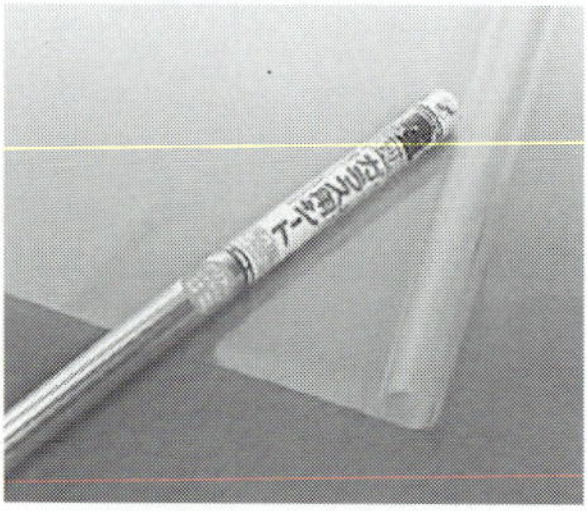

ガラス飛散防止フィルム
窓ガラスなどに貼るだけで、ガラスの破片の飛散を防ぐ。ガラスへの対策は必ず行なっておいたほうがよい

ガラスの飛散を防ぐ

窓枠で固定されている窓ガラスでも、地震によるゆがみによって割れる。割れたガラスの破片は、窓の高さの半分の距離に飛散する。震災後の避難の際、割れたガラスを踏んでケガをすることが多い。こうしたケガを防ぐには、まずガラスの破片を散らばらせないことが先決だ。窓ガラスのほか、鏡や食器棚など、思っている以上に身の回りはガラスに囲まれている。これらがすべて割れると、足の踏み場がなくなる。

手軽で効果的な方法は、飛散防止フィルムを貼ることだ。値段も手ごろで、なかには紫外線カットなどの付加価値のついているものもある。こうしたフィルムを貼っておけば、ガラスが割れても破片が飛び散らない。フィルム以外にも、スプレーするだけでガラスに薄膜を作り出せる飛散防止スプレーも販売されている。

食器の飛び出しを防ぐ

　ガラス面のある食器棚は非常に危険な家具である。ガラスだけでなく、収納してある食器も割れれば凶器となる。何もしていない状態では、大きな揺れがあると扉が開き、食器のほとんどが外に飛び出す。食器がガラスを突き破るようなことがあれば、周囲をガラスと陶器の破片で埋めてしまう。

　被害を最小限に食い止めるために、まず収納方法を工夫する。重くて大きめの食器は下の棚に収納すれば、転倒防止にも一役買う。そして、ガラス面は飛散防止フィルムで補強する。扉にストッパーを付けておけば、揺れても開くことはない。陶器や瓶の飛び出しを防ぐため、食器そのものをロックする器具も販売されている。

はだしで避難しない

　ガラスの補強を行なっていても、花瓶や陶器の置物などが落下して、割れることがある。割れやすいものは、棚などに粘着テープなどで固定しておくことが重要だ。それでも、小さな置物や安全ピンなど、危険物が家中に散らばるのが地震である。そのため、震災後は家の中であっても、はだしで歩きまわってはいけない。靴下やスリッパを履いていても、健康サンダルくらい厚くなければ、破片が突き破って皮膚を傷つけることがある。不意に地震に襲われ、外へ避難する必要に迫られたときは、シーツやクッションカバーなどの丈夫な布を足に何重にも巻き、移動するとよい。

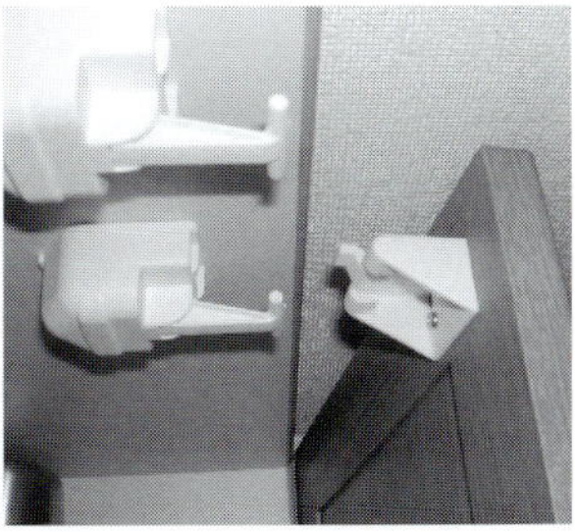

耐震ラッチ
地震の揺れを感知すると扉を内側からロックし、食器棚やタンスなどの中身が飛び出すのを防ぐ

サバイバルウォーク

仕事先や買い物先など、自宅から遠く離れた場所で被災した際、
家まですぐに帰れない「帰宅難民」があふれる。
こうした状況を想定した訓練がサバイバルウォークだ。

東京都や大阪府など、大都市では年に数回、サバイバルウォークが行なわれる。参加者は長距離を通勤している人が多く、なかには10時間近くかけて自宅にたどり着く人もいる。ハイキングではなく訓練であるという心掛けが重要だ

ひと晩歩き続けて帰宅する

早朝に発生した阪神大震災ではさほど大きな問題にはならなかったものの、日中に大震災が発生した場合、数多くの人々が帰宅難民になるといわれている。特に、労働者人口の多い大都市であればあるほど、難民の数は増える。東京都が試算した数字によれば、平日夕刻にマグニチュード7.2の地震が都心を襲った場合、交通機関のまひによって翌朝まで家にたどり着けない人々の数は、371万人に達するという。交通機関の復旧までは数日かかることも予想され、そうした状況下では、徒歩で帰宅する必要がある。ちなみに、東京都庁〜八王子間は、約35km。電車ではわずか30分程度の距離だが、徒歩だと7時間以上かかる。建物が崩壊していたり、道が遮断されていたりして道なき道を進むこともあり、さらに時間がかかることも予想される。

訓練としての
サバイバルウォーク

ここ数年、東京や大阪など大都

▶▶▶ 地震後の安全な場所 P.48

実際に被災したことを想定すれば、スーツに革靴という、ウォーキングには似つかわしくない姿で歩かねばならない。思わぬケガや途中で二次災害に出くわす可能性も考え、普段からカバンに携帯ラジオ、救急バンド、笛など、かさばらないものは持ち歩いておきたい

市において、サバイバルウォークと呼ばれる訓練が注目されている。これは、自分が日中に被災したことを想定し、各都市の中心部から自宅まで徒歩で帰宅するというもの。徒歩で帰ってみることで、その大変さを経験するだけでなく、いくつかの情報収集を行なっておくことができる。

まず、帰宅ルートを確認できる。被災時に地図を携帯している可能性は低く、道路標識などを目印に自宅をめざすことになる。一度徒歩で帰宅しておくことで、おおまかな位置関係や所要時間などを確認できる。また、必要に応じてトイレや水分を補給できる場所も確認しておきたい。トイレは帰宅ルート沿いのコンビニや駅構内など。水分は公園などの水場を利用できる。水分補給が必要になってくるのは、数時間歩いた後になるため、都市中心部よりも郊外での補給ポイントをチェックしておくことが重要だ。

GPS機能搭載の携帯電話

最近は、GPS機能を持った携帯電話が発売されている。被災直後の通信状況を考えれば、一見便利に思えるこの機能も、活用はできないと考えておいたほうが無難だ。こうしたGPS機能は、通信施設が無事であって初めて利用できるもの。その施設が被害を受けてしまえば、利用できないからだ。

自宅でグラッときたら

自宅にいるときに地震が起こったら、
身の安全を確保するとともに、火の元の注意が必要。
二次的な火災の原因をつくってはいけない。

地震が来たら、まず潜る、そしてテーブルの脚を握る。落下物から身を守ることが先決。ふとんなど、かぶれるものがあれば、それをかぶる。子供にも「ダンゴムシ」の姿勢を覚えさせよう

優先順位

1.自分と家族の安全を確保

まず落下物から身を守る。いきなり震度の大きな地震だったら、子供やお年寄りに「そこで丸まって！」と叫び、自分の身の安全を確保する。テーブルの下に入ったらテーブルの脚を持ち、頭を抱えて丸くうずくまる。深夜の地震の場合は、ふとんや枕を使って頭を保護し、落下物に備える。

2.火の元の確認

揺れが収まったらキッチンへ行き、ガスの元栓を閉める。

3.避難路の確保

火の元を確認後、玄関のドアや勝手口などを開け放ち、避難路を確保、もしくは避難する。

●一軒家

2階のベランダなどにいた場合は、外に投げ出されないよう、地震を感じたらまず家の中に飛び込むこと。古い木造建築の場合は、崩れて生き埋めになりやすいため、大きな揺れを感じたらとにかく1階に下りて外に逃げる。どうしても2階から逃げなければならない

►►► 二次災害の火災を防ぐ P.84

ときは、手すりなどにロープやシーツをしっかり結びつけて下りる。飛び降りる際は、ふとんやマットレスをあらかじめ下に投げておき、その上に飛ぶ。

●マンション、アパート

高層マンションの高層階は、低層階に比べて揺れが大きい。そのため、ベランダなど外にいた場合は、外に投げ出されないよう家の中に飛び込む。割れた窓ガラスの破片を避けるため、できる限り窓から離れ、建物の中央に近いところで隠れること。高層マンションの場合、揺れで外に投げ出されることもある。マンションやアパートでは、トイレに逃げ込んではいけない。四方を柱に囲まれていない場合が多いため、耐震性はあまりない。

大きな地震では、ドアの枠などが変形し、ドアが開かなくなる。少しの揺れの地震であっても、その後に大きな揺れが来る可能性は否定できない。避難路は確保しておくこと。揺れている最中に逃げる場合でも、急に飛び出してはいけない。思わぬ落下物や、コントロールを失った車が突っ込んでくることもある

!!注意!!

様子見は悪習!

多くの人が揺れを感じた際、収まるのを待つ習慣がある。余震なのか本震なのかわからない状況では、これは悪習で、揺れを感じたらまず行動しなければならない。

まず自分の安全を確保する!

子供やお年寄りに駆け寄り、身をていして守ってはいけない。冷酷なようだが、それで自分が命を落とした場合、その後の子供やお年寄りの生存率が下がることにもなりかねない。

子供の名前ばかり叫ばない!

子供に声をかけるときは、名前ばかりを叫んでパニックにならないこと。名前を呼ぶと子供は自分のほうに向かってくるため、かえって危険。

揺れが収まっても安心しない!

裏に山や崖がある場合は、揺れが収まったからといって安心してはいけない。余震による土砂崩れを避けるため、なるべく早く避難場所に移動したほうがいい。雨で地盤がゆるんでいるときは、特に急ぐ必要がある。

ビルの中でグラッときたら

免震・耐震構造を持つ高層ビルの場合、倒れはしないが、
揺れが激しい。低層階のビルは周りに注意して早く避難したい。
どこにいても、迅速な行動が大切だ。

免震・耐震構造を持ったビルは、高層階へ行くほど激しく揺れる。倒れなくても、窓から身を投げ出されて命を落としかねない

エレベーターの中で地震に遭ったら、急いで各階のボタンを全部押す。近くの階から脱出できずに閉じ込められたら、外と連絡をとり、救助を待つ。ちなみに、映画のように天井から脱出できるエレベーターは、今はほとんどない。もし脱出できたとしても、そこから先、はしごを伝って下りるのも危険だ

優先順位

1.身の安全を確保する

揺れを感じたら、身を隠せそうなスペースを見つけ、落下物から身を守る。

2.非常口から下に向かう

揺れが収まったら、非常口から非常階段へ出て、下の階へ避難する。高層ビルの場合、屋上に避難してもよい。

●高層オフィスビル

下層階に比べて揺れの大きな高層階で勤務していると危険度は高い。免震・耐震構造を持っているために、簡単に倒れることはないものの、揺れに体を持っていかれる場合がある。大きなガラス窓で囲われているオフィスなどでは、ガラスの破片だけでなく、ガラスを突き破って投げ出されないよう注意しなければならない。窓際にいる人は、まずフロアの中央部へ向かう。オフィスのパソコンやモニターなどが滑って机の上から落ちてきやすいため、机の下に潜って落下物から身を守る。

▶▶▶ 高層ビルでの出火 P.96

●デパート

陳列棚、ショーウインドーからいち早く離れる。並べられた商品が落下してきたり、倒れることもある。商品が凶器になりやすい売り場は、食器・陶器売り場や電化製品売り場。衣料品売り場でも、ショーウインドーや鏡が割れ、ガラスの破片でケガをしてしまう可能性が高い。

家具売り場にいたら、商品のテーブルの下に潜る。スーパーのような、手持ちかごやカートがある売り場では、かごをヘルメット代わりにしたり、大きめのカートをかぶって身を守る方法もある。

●映画館・劇場

映画館や劇場などの広い空間は柱がないため天井が落ちやすい。揺れを感じたらイスの間にうずくまり、カバンなどで頭を守る。たとえ天井が落ちてきても圧死は免れる。揺れが収まってもパニックにならず、係員の指示に従って避難する。

●エレベーター

エレベーターの中で地震を感じたら、まず、各階のボタンをすべて押す。停止した階で降りられれば、そこから非常口を探し、下をめざす。中に閉じ込められたら、非常ベルを押すか、非常電話を使って救助を待つ。応答がなくても何度もチャレンジすること。パニックにならずに、全員が落ち着いていることが大切である。

!!注意!!

避難にエレベーターは使わない!

非常階段がこみ合っていようとも、絶対にエレベーターでは避難しない。余震が起こったときに停止したり、落下してしまう可能性もある。

ホテルのロビーは危険!

ロビーは柱が少ないうえ、シャンデリアなど危険な照明器具が数多くぶら下がっている。落下物に巻き込まれないよう、迅速にその場を離れること。しかし、外に飛び出すのは禁物。上階で割れた窓ガラスが降ってくる危険性が高い。

レストランで食事をしているときに地震が起きると、シャンデリアなどの装飾照明器具が降ってくる。まずはテーブルの下に身を隠し、落下物に備えること。厨房を持つレストランは火災が発生する可能性もあり、揺れが収まったらその場所から早く離れる

外出中にグラッときたら

屋内に比べて安全そうに見えるが、じつは外のほうが危険が多い。
大地震のときには、看板から自動販売機まで、
あらゆるものが凶器と化す。

外出中、最も気をつけなければならないのが、思わぬ落下物と倒壊物だ。ビルの近くは、割れたガラス片や看板など、生命に危険を及ぼす落下物が降り注ぐ

優先順位

1.安全スペースを探す

まず身を隠せるほどの安全なスペースを探す。

2.身の安全を確保する

スペースを見つけたら、そこに入り、頭を抱えて身を守る。どうしても安全そうな場所が見つからなかったら、可能な限りビルや商店から離れたところで周囲に気をつけながらしゃがむ。

3.避難する

揺れが収まったら、繁華街から出る。パニックに巻き込まれないよう人ごみは極力避ける。

●繁華街

看板やアーケードなど、落下物に巻き込まれる危険性がきわめて高い。また、建物の倒壊や、割れたショーウインドーの破片にも気をつける必要がある。それに加え、賑わっている繁華街では、人々がパニックに陥りやすく、巻き込まれて圧死するケースもある。自動販売機の転倒にも気をつけたい。

地震が起こったら、高いビルを見つけて、そこへ飛び込む。低いビルでも銀行があれば、その建物へ逃げ込むとよい。銀行の建物は耐震性に優れている。雑居ビルばかりだった場合は、ビル側からできるだけ離れ、少しでも段差のあるところに身をうずめる。路肩と道路の段差や、街路樹の根元などでも、隠れていたほうがよい。地下街への入口が近ければ、地下に逃げ込む。

●住宅街

繁華街同様、住宅街も意外と安全な場所は少ない。ブロック塀や石塀、門柱、電柱、自動販売機など、周りから倒れてくるものばか

▶▶▶ 電車・映画館で火災に遭ったら P.99

りである。特にブロック塀や石塀は、普段は外敵を守るためのものであるから、恐怖心を感じない。そのため、地震が起こると、つい塀に近づいて下敷きになってしまう被害も多いのである。

また、落下物も意外と多い。瓦屋根からは瓦が落下し、電線も落ちてくることがある。エアコンの室外機も地震のときは凶器と化す。重量のある室外機の直撃を受けたらひとたまりもない。

揺れを感じたら、塀や電柱、自動販売機から離れることが先決。立っていられないような揺れであっても、這って危険域から離れる。近くに空き地や公園があれば、そこへ飛び込む。橋の上であれば、手すりや欄干につかまってしゃがみ込む。歩道橋の上でも同様で、しっかりと手すりや欄干につかまり、投げ出されないようにする。

!!注意!!

すぐにしゃがみ込まない!

巨大地震が突然発生すると、恐怖心からその場にしゃがみ込んでしまいがちである。しかし、外出中は絶対にしゃがみ込まないよう注意したい。落下してくる看板やショーウインドーの破片、崩れてくるブロック塀、自動販売機など、周囲のほとんどに危険物がある。少しでも安全な場所を探して逃げ込むようにすること。

普段から避難場所を探す!

いつも歩いている繁華街でも、意外と建物の配置などは覚えていないもの。とっさのときに行動するためには、前もって安全スペースを探して、覚えておきたい。

凶器になる落下物

●瓦

硬い屋根瓦がまとめて降ってくる。1枚だけであっても、頭部を直撃すれば命を失う

●電線

地震によって切断された電線の直撃は、感電すれば死に至る。電線が切断されているのを見たら、絶対に近づいてはいけないし、電線の近くからは離れておきたい

●ガラスの破片

ほとんどのビルの窓がガラス製である。これらがいっせいに割れ、雨のように降り注ぐ。かなり大きなものも落ちてくるので、ビル近くにいるくらいなら、中に逃げ込んだほうがよい

●変圧器

電柱の上部に設置されている変圧器も、そのまま落ちる可能性がある。電柱には近づかないようにしたい

●エアコンの室外機

室外機は屋根を滑って落ちてくることがある。そのまま直撃すれば、人は到底耐えきれない

●看板・ネオン広告

雑居ビルの壁面には、巨大な看板が据えつけられている。また、明るいネオン広告を設置しているビルも多い。巨大地震が発生すると、その多くが落下するといわれている

電車・地下鉄でグラッときたら

都市部の駅やホームは人が密集している。
駅や電車で地震が起こったら、冷静さを失わず、
駅員や車掌のアナウンスに耳を傾けよう。

優先順位

1.駅員・車掌の指示に従う

勝手な行動をとってはならない。ひとりの勝手な行動が、人の密集した駅構内や電車の中ではパニックを引き起こすきっかけになりかねない。必ず、駅員や車掌の指示に従うこと。

2.避難する

指示に沿って冷静に、迅速に避難する。

●駅

ホームで揺れを感じたら、まず線路に投げ出されないよう線路から離れる。普段から、線路から離れて立っているとよい。駅名表示や看板、時計、案内掲示板などの落下に注意して、身をかがめ、カバンやジャケットなどを頭に当て、身を守る体勢をとる。地下鉄の駅でも同様。

●電車内

電車が地震のために急停止しても、勝手に外に出ない。車掌のアナウンスに耳を傾け、指示に従って避難する。新幹線に乗っていた場合は、揺れを感じたらすぐにシートのすき間に身をかがめ、急ブレーキで前に投げ出されないようにする。

●地下街

地下街は耐震構造。地上に比べて揺れは少ない。非常灯や防火設備も整っている。落下物や転倒物の少ない壁際に身を寄せる。約60mおきに地上への非常出口が用意されているので、揺れが収まった後もあわてずに落ち着いて行動する。緊急放送に耳を傾ける。

!!注意!!

勝手に線路に下りない!

駅員・車掌の指示があるまで絶対に線路に下りてはいけない。安全が確認される前に線路に下りるのは自殺行為で、突っ込んでくる電車にひかれる危険がある。

►►► 電車・映画館で火災に遭ったら P.99

車の運転中にグラッときたら

阪神大震災時、高速道路は波打ち、車は上下に大きく跳ねたという。
震度5を超えると運転は困難になる。
あわてずに車をわきに止め、キーを付けてロックせずに避難しよう。

優先順位

1.車を左に寄せて停車

ハンドルをとられないようしっかりと握り、アクセルから足を離す。周りの車に気をつけながらゆっくりとブレーキを踏み、左に寄せて停車する。

2.カーラジオで情報を得る

避難する前に正確な情報を得る。状況を把握した後、避難が必要な場合には避難する。

3.キーは付けたまま外に出、ロックはしない

避難の際、車のキーは付けたままにし、余裕があれば車検証を持って外に出る。ただし、絶対にロックはしないこと。

4.ほかの車に気をつけて避難する

道路に出るときは、ほかの車に気をつけて避難する。

●高速道路

高速道路では、猛スピードで車が突っ込んでくる可能性がある。無事、路肩に停車したら、周りの車に注意して車から降りる。高速道路は1kmごとに避難口が用意されている。そこから避難ばしごを使って高架から下りる。

キーを付けたままでロックをしないのは、緊急車両の妨げになるときに動かしやすくするためだ

●一般道路

同様にして避難する。空き地や駐車場が近くにあれば、そこに車を置いたほうが、緊急車両の活動のじゃまになりにくい。消火栓の位置には注意が必要。

震度5の運転は恐怖！

運転中に突然、震度５以上の地震が起こったら、車はパンクしたような状態になり、制御が困難になる。焦って急ブレーキを踏むと完全にコントロールを失い、多くの車を巻き込んで衝突事故を起こしかねない。

液状化現象

液状化は地盤が緩み、その上にある建築物が沈み込む恐ろしい現象である。
一般的に埋め立て地が危険であることは知られているが、
それ以外でも危険な地域はある。

液状化のしくみ

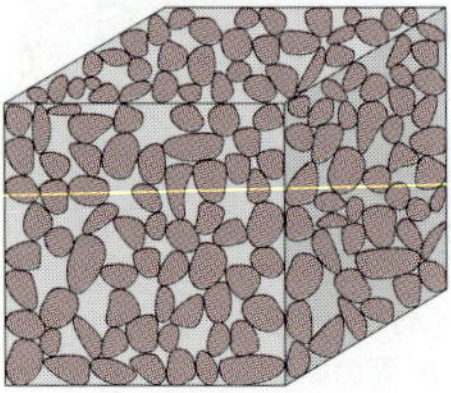

1 砂質の地盤の地下水位より深いところでは、細かい砂が互いにかみ合い、骨格構造をなしている。そのすき間は水が充満している

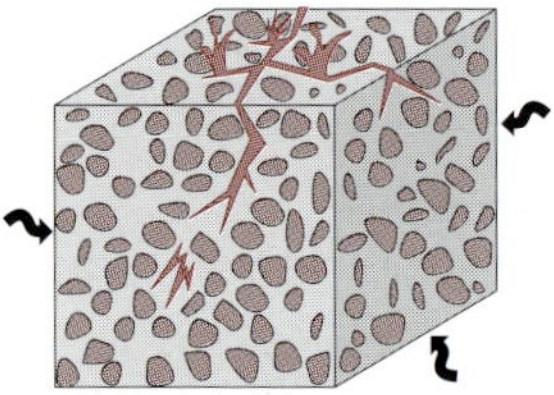

2 震度5以上の地震が起こると、砂が大きく揺さぶられ、骨格構造が崩れ、砂粒の密度が一気に高まる

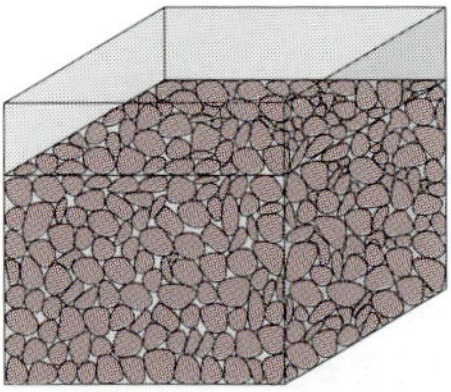

3 高密度化した砂粒の間にあった水は、居場所を失って地面に流出、地盤は沈下する。なかには、噴砂が起こる場合もある

液状化現象のメカニズム

通常は固い地盤であっても、地震によって液体と化す。これが液状化といわれる現象だが、そのしくみは単純だ。地下水位より低いところにある砂粒は、普段は密度が低く、すき間は水で満たされている。だが、地震によって揺さぶられることで、砂粒のすき間が埋まり、密度が高まる。そうすると、すき間にあった水が地上に流出し、地盤が液状と化す。瓶に砂糖や塩などを入れることを思い浮かべれば理解しやすい。そのまま注いでいっぱいになっても、瓶を揺すればまだ入るようになる。これと同様の原理である。水にかかる圧力が高いと、砂水が噴き出す噴砂《ふんさ》が起こることもある。液状化すると地盤沈下が起こる。阪神大震災時、六甲アイランド、ポートアイランドが地盤沈下した。

液状化の危険地域

震度5程度の地震で液状化が発生しやすい地盤条件は、1.地下水位が地表面に近い、2.緩く積もった砂地盤の層がある、3.砂質土の大きさが細かくて粒径がそろっている、の3つとされる。これらの条件がそろった地盤は沖積層(約1万年前から現在にかけて形成された層)で、自然堤防縁辺部、小型の自然堤防、蛇行州、旧池沼、砂泥質の河原、人工海浜、埋め立て地、湧水地点などが液状化の危険性が高い。また、山岳部であっても崖や斜面に隣接した盛土地、低湿地・干拓地・谷底平野の上の盛土地は液状化する恐れがある。

液状化ハザードマップ

大阪府や愛知県などの人口密集地域に限らず、全国の自治体は地震発生に伴う液状化ハザードマップを作製している。こうしたハザードマップでは、液状化がきわめて発生しやすい地域を知ることができ、自宅がどのような場所に建っているのかを確認できる。

基礎工事での液状化対策

最近では、液状化しやすい地盤の上に建築物を建てる際、基礎の土木工事で液状化対策を施している場合が多い。また、鳥取県のように自治体が補助金を出すなどして、液状化対策を呼びかけている例もある。液状化対策の法的基準はいまのところなく、これから定めようとしているところである。だが、多くの建築業者は液状化対策技術を持っているので、これから家を建てるのであれば、業者に相談などをして、対策を施しておいたほうが賢明である。

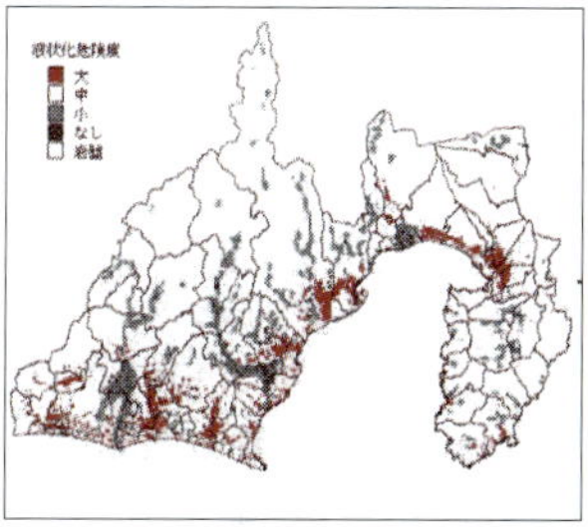

静岡県液状化マップ
東海地震に備える静岡県では、人口密集地の液状化マップを作製している

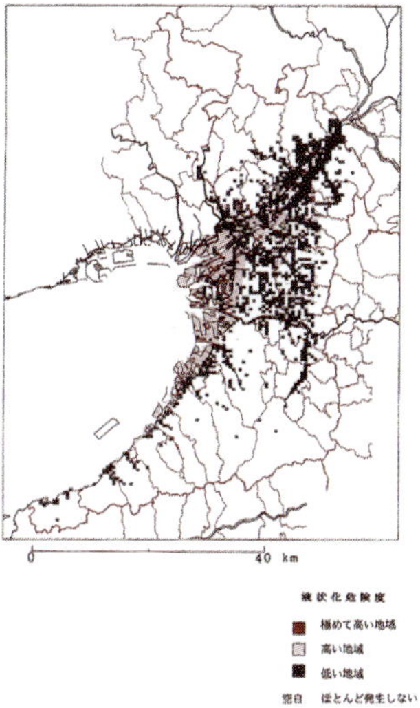

大阪府液状化マップ
大阪中心部は、海岸側で液状化が発生しやすいといわれている。内陸側であっても、地質によって液状化が発生する区域もある

地震後の安全な場所

被災後、避難できる安全な場所として、各自治体はそれぞれの区域で
避難場所を指定している。それ以外の安全な場所と、
近づいてはいけない危険な場所も併せて覚えておきたい。

避難場所のマーク
これまで各自治体によってバラバラだった避難場所のマークだが、このマークに統一されつつある。非常口に似た、この緑のマークを覚えておきたい

避難所の種類

各自治体は、住民の避難場所として、広域避難場所を筆頭に、いくつかの避難場所を指定している。広域避難場所は、大地震の際に発生する火災などから避難することも想定し、広い面積を持つ大規模公園や緑地といったオープンスペースが選ばれている。静岡県などは、広域避難場所を救援隊の活動拠点として利用することも想定している。震災で居住家屋が被害を受けた人々のために設置されるのが、避難所だ。学校や大規模公共施設が、避難所として開放される。基本的に、広域避難場所は一時的なものとして位置づけられ、避難生活は避難所で行なう。

集合場所としての一時避難場所

広域避難場所に比べて面積が小さい公園も、一時避難場所(一時集合場所)として指定されていることが多い。一時避難場所は、一時的な危険回避を行なうための場所で、小学校、広場、公園、寺社などが選ばれている。家族で落ち合う場

所としては、自宅から最も近い一時避難場所を選んでおくとよい。一時避難場所は長時間の避難を想定していないため、家族が集合したら広域避難場所、もしくは避難所に移動する。

要介護者用避難所

高齢者や障害者など、介護を必要とする被災者のために設置されるのが要介護者用避難所だ。福祉施設、宿泊施設などが開放され、必要に応じて、ホームヘルパーが派遣されたり訪問看護も行なわれる。要介護者用避難所は各自治体によって名称が異なっているため、事前に確認しておくことが重要である。東京都では「二次避難所」、横浜市では「特別避難所」と名づけられている。

安全な場所と危険な場所

日本国内の31m以上の高さのビルは、規定に準じた耐震・免震構造を備えている。都市中心部で地震が起こった際、一時的な危険回避場所として覚えておくとよい。

逆に、オープンスペースであっても、海岸線に近い場所や山岳部は、津波や山崩れの危険がある。そうした地域では、自治体が指定している避難場所をしっかりと確認しておくことが重要だ。

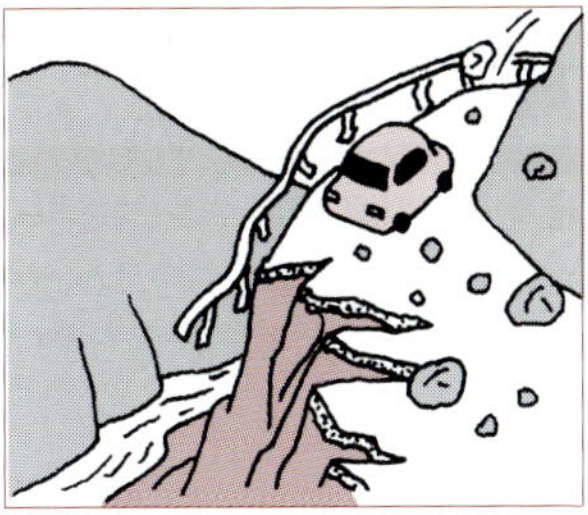

危険な場所
山岳部では、地震が収まってからも山崩れなどの二次災害の危険性が残っている。安全が確認されるまでは、できるだけ避難所で生活したほうがよい

街の中の安全な場所

○一時避難場所など
ある程度の広さを持ち、落下物などの危険性がない地域。学校や寺社など

○高層ビル低層階
免震・耐震構造を持っているため、倒れにくい。ただ、上層階では放り出されないよう注意

街の中の危険な場所

×ブロック塀近く
鉄筋が入っていないブロック塀は崩れやすく、下敷きになりかねない

×自動販売機近く
耐震用に補強されている自動販売機は少なく、倒れてくる可能性が高い

×雑居ビル・高層ビル沿い
看板や窓ガラスなどが高いところから落ちてくるので、近づかないこと

×電信柱近く
特に、コンクリート製の大型の電信柱の倒壊に巻き込まれると、命が危ない

×瓦屋根の家近く
揺れで瓦が落ちてきやすい。その場合、大量に降ってくる可能性もある

避難する

最寄りの避難場所へ一刻も早く移動したい。
その前にやっておくべきこと、やってはいけないことを覚えておきたい。
そのうえで、あわてずに落ち着いて行動しよう。

〈避難の心得 十カ条〉
●電気・ガスの元栓を閉める
●必ず徒歩で避難する
●服装は動きやすいものを
●携帯品は必要品のみ
●荷物は背負うようにする
●危険な場所を避ける
●デマに惑わされない
●あわてない
●子供は必ず近くに
●外出中の家族へはメモを

避難する前に

本震で家屋の倒壊を免れても、建物が傷ついたり半壊したときは、余震による被害を避けるために避難しなければならない。避難する前には、アンペアブレーカーを切り、ガスの元栓を閉め、電気やガスに起因する火災を起こさないようにする。

本震で倒壊してしまうことも想定し、使用後にコンセントを抜いたり、ガスの元栓を閉める習慣をつけて備えておくことも大切。

避難するときに注意すること

避難場所へは必ず歩いていくこと。また、お年寄りや子供は離ればなれにならないよう、しっかりと手を取って一緒に行動する。近隣住民と集団で行動したほうが、万が一のときに助け合うことができる。荷物は最小限にとどめ、両手が使えるように背負うようにする。可能であれば、思わぬ落下物に備えてヘルメットを装着しておけば心強い。避難の際に気をつけたいのは、人づてに聞こえてくるうわさやデマの情報である。それ

▶▶▶津波から避難する P.78、煙の中での避難 P.85、雷から避難する P.138

がテレビやラジオのニュースであっても、頭から信じ込むことはせず、真偽をしっかりと確かめてから行動することが重要だ。

避難中、要救助者を発見した場合、救出を試みること。可能な限り、人命救助を優先する。

防災カードを作る

避難するときに、家族それぞれに持たせておきたいのが防災カード。防災カードは自分のデータを書き込んだもので、家族全員分作っておく。離散を防いだり、持病が悪化した際に役立つ。普段から持ち歩いておいてもいいだろう。

●記入する事項例

1）氏名
2）性別
3）生年月日
4）血液型
5）持病やアレルギーなど
6）自宅の住所、電話番号
7）家族構成
8）緊急時の連絡先
9）家族の集合場所
10）家族の避難場所

家族の集合場所や避難場所を書き込んでおけば、忘れたときに確認できる。

外へ出るとき
地震が起こってもあわてて飛び出さない。揺れが収まってから、落ち着いて行動すること

徒歩で避難する
避難は必ず徒歩で。そして動きやすい服装のほうがいい。自転車なども、余震でハンドルを取られたり、障害物によって、思わぬ事故を引き起こす可能性がある。自動車での避難は、道路の混雑などで結局途中で乗り捨てなければならなくなる

瓦礫からの救出方法

震災が起こると、多くの人が倒壊した家屋の下で生き埋めになる。レスキュー隊を待つ余裕はない。近くの人々が力を合わせて救出しなければ、瓦礫《がれき》の下で次々と命が失われてしまうのである。

倒壊した家屋の下に生存者を発見したら、まず近くの人を集め、力を合わせて素早い救出を心掛ける。レスキュー隊や自衛隊の到着まで待つ必要はない

生存者の見つけ方

瓦礫の下敷きになっている人を救出するには、まず生存者を見つける必要がある。生存者を見つけるには、まず自分が近くにいることを相手に知らせるため、大きな声で叫ぶ。ずっと叫んでいては、生存者の声を聞き取れないので、ある程度叫んだら、生存者の声に耳を澄ませる。生き埋めになっていそうな家屋の場合は、瓦礫に耳を当てて、小さな声や音を聞き逃さないようにする。

救出者割合

阪神大震災時に救出された約3万5000人のうち、近隣住民によって救出された人は2万7000人にも上る。生き埋めになった人々が瓦礫の下で耐えられる時間は1～2日ほどだといわれる

自分が生き埋めになったら

自分が生き埋めになったときに、だれかに発見してもらうためには、声や音を発して、自分の居場所を伝える必要がある。元気なうちは大声も出せるが、体力の消耗とともに声は出なくなる。瓦礫の中では、複雑に音が反射し、自分では大声を出しているつもりでも、外の人の声にかき消されてしまっていることもある。体力の消耗を避けるには、やみくもに声を出さず、人が来たのを見計らって、精いっぱいの声を出す。

▶▶▶ 応急手当ての基本 P.144

人の声にかき消されないために有効なのは、笛や防犯用ブザーだ。常に非常用のことを考えて携帯しておくことが大切だ。

救出に使えるもの

生存者を発見したら、身近なものを利用して瓦礫を取り除く。その際、生き埋めになっている人がどんな状態なのか(足が挟まれている、腕をケガしている、など)を確認し、動かせる瓦礫と動かせない瓦礫を確認する。大きなものを動かすときは、テコの原理を使うと動かしやすいが、瓦礫が崩れてしまわないよう注意が必要だ。タンスなどの重い木製の家具は動かしづらいが、裏面の強度の弱いところを壊して中身を抜くなど、機転をきかせて瓦礫を取り除く。救出できる程度のすき間を確保できたら、ジャッキやレンガなどを使い、瓦礫を固定。ロープを使って生存者を救出する。

救出作業で注意したいのは、太ももや腰など下半身を圧迫されている人(出血していない場合)を助け出す際、圧迫している瓦礫をすぐに取り除かないことだ。瓦礫を取り除き、血流が突然よくなると、心臓に負担がかかって死亡するケースもある。致命傷でない限り、救急隊員の到着を待ちたい。

救出するまでの間、声をかけて生き埋めになっている人を励まし続けることも大切である。

負傷者の搬送

動けない負傷者を搬送する場合、家のドア扉など、充分な強度を持った平面のものならば、担架代わりに使える。負傷者の病院までの搬送には、リヤカーを使うと早く運ぶことができる。

身近な使えるもの

●ジャッキ
重いものを持ち上げたり、支えておく

●ロープ
物を引っぱったり、固定したりする

●バール
テコの原理を使った持ち上げ、破壊、トタンのはがし

●のこぎり
柱、梁《はり》などの切断

●ペンチ
針金、ラス網などの切断

●おの、ハンマー
ドアや家具などの破壊

身の回りにあるもので、使えそうなものはすべて使う。なかでも、ジャッキやロープ、のこぎりは瓦礫を取り除くときに非常に役に立つ道具だ

▶▶▶負傷者を搬送する P.154

通信・連絡手段

阪神大震災直後には、家族への安否確認のため、公衆電話に行列ができた。しかし、そのほとんどがつながらなかったという。通信インフラが大混乱したとき、どうするべきなのか。

171の使い方

●伝言の録音方法

「171」にダイヤルする
↓
「1」をプッシュ
↓
「XXX-XXX-XXXX」
自宅の電話番号を市外局番からプッシュ
↓
声を録音する
「家族は無事です」

●伝言の再生方法

「171」にダイヤルする
↓
「2」をプッシュ
↓
「XXX-XXX-XXXX」
自宅の電話番号を市外局番からプッシュ
↓
声が再生される
「家族は無事です」

「忘れて171《いない》」声の伝言板

災害時の電話がつながりにくい状況を想定して、災害時にのみ使える、家族や知人への安否確認のためのサービスがある。NTTが提供する「災害用伝言ダイヤル」サービスだ。これは、被災地から声を録音し、ほかの地域でその声を聞くことができるサービスで、ほかの地域からの録音も可能である。契約は不要。使い方は簡単で、まず「171」をダイヤルし、録音の場合は「1」を、再生の場合は「2」をプッシュする。その後、自宅の電話番号をプッシュすれば、声を録音したり再生することができる。一般加入電話や公衆電話だけでなく、携帯電話やPHS(ともに一部事業者を除く)からも利用できる。

電話をつながりやすくする方法

携帯電話の場合、基地局が直接被害を受けたり、通話が集中した場合にはつながらない。しかし、場所を移動して違う基地局を利用しようとすれば、つながりやすくなる。一般加入電話では、基地局の直接被害以外に、緊急災害時に行なわれる通話規制・発信規制によってつながらなくなることがある。この規制に影響されにくいといわれているのが、「106」コレクトコールなど「1」から始まる番号だ。また、阪神大震災時には、公衆電話は発信規制の対象外だったため、かかりやすかった。

また、災害時には郵便物が無料で配達される。安否を手紙で知らせる方法も覚えておきたい。

阪神大震災では20万回線以上の電話に影響が出たため、緊急に設置された公衆電話に人々が殺到した

活躍するアマチュア無線

阪神大震災のとき、約20万回線が不通になった電話網に比べ、大活躍したのがアマチュア無線だった。最終的に有線である電話と違い、おのおのが基地局として機能しているアマチュア無線は、災害時にも不通になることはない。ボランティア同士の連絡にもアマチュア無線が使われ、当時の郵政省は、超法規的措置として、災害復旧期間に限り、日本アマチュア無線連盟を免許主体とする特別局を許可した。今後、同様の災害時にも、アマチュア無線は有効な連絡手段として機能するといわれている。

地球全域をカバーする衛星電話

通信用人工衛星を基地局代わりにする衛星電話は、緊急時にも必ずつながる連絡機器として世界各地で評価されている。アメリカの同時テロ以降、国防総省での使用が急増したことからも、その有効性がうかがい知れる。NTTドコモからは、災害時の緊急連絡用に、「ワイドスター」という衛星移動通信サービスが提供されている。各家庭に1台とまではいかないが、企業や自治体レベルでの導入に期待が寄せられている。

避難した後で

無事に避難できた後でも問題は数多い。
避難所の多くは学校の体育館などだからだ。
集団生活での「助け合う」ことの難しさがある。

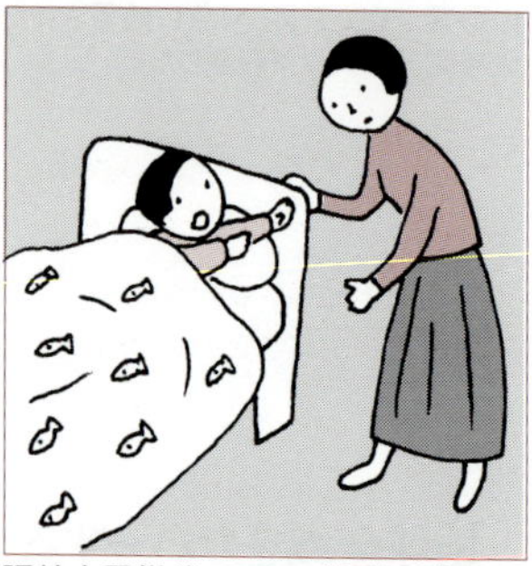

阪神大震災後、PTSD（心的外傷後ストレス障害）という言葉が認知された。眠れない、すぐ怒りだす、無力感にさいなまれ何も行動が起こせない人たちや、頭痛、目まい、吐き気などの具体的な症状が現れる人もいた。もともとはベトナム帰還兵が精神面や身体的にさまざまな症状が現れたことで、アメリカで研究が進められていたものであった。同じ体験をした人同士で話をすることで緩和されることもあるといわれる

避難所生活にプライバシーはない

阪神大震災での最大避難者数は32万人に上った。兵庫県全体で避難所と指定されたのが1153カ所。そのうちのほとんどが学校や公民館だ。避難所は自宅ではない。そのことを肝に銘ずるのが始まりである。

避難する季節や地区にもよるが、冬の避難ともなると過酷のひとことだ。避難から数日は暖房のない床に毛布を敷くだけであろうから、朝晩の冷え込みはあらゆる人の健康を害する恐れがある。広いひと部屋に暮らすため、もしも伝染病がはやれば蔓延の恐れも高い。せっかく生き延びた命がこの避難所の過酷な生活条件で失われることにもなりかねない。

阪神大震災の集団生活で最も避難者を追いつめたのが、ストレスを発散できないことだ。周囲にほかの避難者もいるため雑音も多く、プライバシーはない。老若男女、障害者、外国人、とりどりの人たちが一緒になるのだ。各家庭によって、ちょっとしたしきたりや風

習が違うのは当然のこと。また、就寝中、トイレに行くだれかから脚を踏みつけられた、隣で泣きやまない赤ん坊がいる、ペットの鳥がうるさい……。不便さや不自由さを言い始めれば際限はない。

阪神大震災では避難所の玄関付近での喫煙をめぐって刃物を持ち出す騒ぎもあったという。漠然と口にする「助け合い」の言葉が心に迫ることとなろう。

マイカーを自宅代わりに

避難所で円滑に暮らすためにはリーダーを決めることである程度、問題は解決する。各町内にいる世話係などが適任者だろう。この場では会社の肩書きや年収は意味をなさない。他人の気持ちを汲み取り、争いの火種を早い段階で穏和に収めることのできる人が向いている。

戦争や大地震など激動の昭和を生き抜いた老人たちの生きる知恵は大きなテキストとなる。避難生活も長くなればそれなりに適応できたり、救援物資も届き、ゆとりが生まれる。ベニヤ板や段ボールで間仕切りを作り、わずかながらもプライバシーを守ろうとしていた風景もあった。とはいえ、親戚や知人の多い少ないにより、あちらの家庭にはあんなに届き、そちらの家庭にはこれだけ、と小さなストレスのタネはなくならないもの。そこでマイカーで寝泊まりするのも一案である。

避難所よりもプライバシーも守られ、シートはベッド代わりになるし、ラジオで情報収集もできる。ガソリンがあれば冷暖房も使える。しかし、同じ姿勢のままだと血流が悪くなり、下肢静脈に血の塊ができ、呼吸困難や最悪の場合、死に至る恐れがある。定期的に体を動かし、水を飲んで対応したい。

仮に自宅の損害が少なく、素人目で大丈夫と思っても基本的には住んではいけない。いつなんどき次の地震が来るかもわからないし、些細なことで倒壊の恐れもある。大丈夫そうに見えても崩壊する可能性もあるのだ。

クルマに防災グッズを積み込むのも一案だ。広いトランクルームにはテントや燃料タンクや調理用具など大きいものを積み込める。車内にもスペースはあり、後部座席の足元に寝袋を置けば子供の転落防止にもつながるし、座席の背もたれカバーとしてトレーナーやTシャツ、バンダナなどを付けておけば着替えなどにもなる

避難所での水・食料

**まず必要なのが水と食料であることは間違いない。
とはいえ、避難生活も長くなれば乾パンと水だけでは満足もいかない。
飲料水だけでなく生活用水も欠かすことができないものなのだ。**

生活用水の大切さ

　まず初めに飲料水の確保が不可欠であることは言うまでもないが、阪神大震災の避難所がそうであったように、ペットボトル用のミネラルウォーターが全国から比較的早く避難所に行き渡り事なきを得た。数日は覚悟しないといけないが、給水車がくまなく回り始めるので生命を逼迫《ひっぱく》するほど飲み水に困る事態は少なそうだ。

　人は1日に1人当たり最低3ℓの水を必要とするといわれるが、もちろんこれは生命維持のための最低量である。洗濯や掃除に必要な生活用水も大切で、おまけに避難所のトイレはすさまじく汚れた。ひとえに清掃するための水がなかったからだ。もちろん水洗トイレが使えない以上、風呂に入れるはずもなく、電車を乗り継ぎ銭湯に向かった人もいるという。

　また医療においても水は必要で、生命維持から、日々の生活まで、どんなときにも水は必要不可欠なものだ。貴重な水をすぐに捨ててはならない。たとえば米のとぎ汁は、顔や手を洗うこともでき、そ

缶詰と電気プレート
レトルト食品と缶詰などで簡易な調理ができる。レトルトの白米にアサリの缶詰を入れてかき回せば、アサリごはんができあがる。電気プレートがあれば料理の幅はぐっと広がる。焼き鳥缶に溶き卵をかけて親子丼のできあがりだ

避難所での水・食料

▶▶▶ 水と食料の備蓄 P.30

配水の際は大型の10～20ℓ用のポリタンクを持っていくのが得策だ。またビニール袋を2枚重ねれば即席のタンクにもなる。隣近所に声をかけ、持ち運びが困難な家庭の人には進んで手助けをしよう

の後、トイレ掃除用に回すこともできる。

電気ポットが大活躍

非常時であれば乾パンに水だけでも充分だろうが、避難生活が長くなればそうはいかない。小さな子供はふだん口にしない食べ物を、非常時だからといっても、いきなり口にはできないだろう。配給される食事もおにぎりや弁当、菓子パンなど代わり映えがしないものが大半だ。いくら避難生活といっても、これでは大人も子供もストレスがたまる。

ライフラインでいちばん復旧が早いといわれるのが電気であることを考え、電気ポットを用意しよう。電気ポットがひとつあるとないとではそうとうに違う。電気ポットでお湯を沸かしておけば、お茶やコーヒー、またはラーメンや味噌汁、カレーといったインスタントやレトルト食品も口にできる。底冷えがする体育館の中で１杯の熱いお茶は心体ともに温めてくれるはずだ。また熱湯を水で割って温かいお湯で体が拭けたり顔も洗えるため、衛生面にも優れた力を発揮する。

阪神大震災で被災した美容院は、電気ポットでお湯を沸かしジョーロを使って髪を洗っていた。とはいえ、避難所の大半が体育館や教室だ。コンセントの数が限られているので順番を守るようにしたい。

水を確保する

ふだん、あたりまえのように利用している水道水だが、
地震によって使えなくなることは想定しておく必要がある。
なかでも飲み水の確保は大切な問題だ。

飲んではいけない水

川の水や雨水はそのまま飲めない。都市部の川の水には、多くの生活排水が流れ込んでいるうえ、浄水器でも濾過しきれない有害物質が入っている。雨水もチリやほこり、都市部では車の排ガスなどを含んでいる。

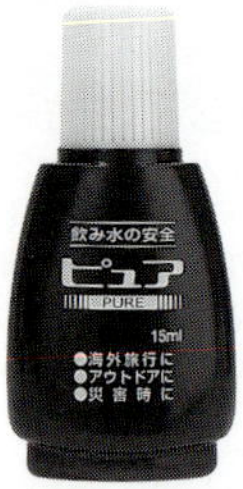

塩素系の浄水液。同時に5分以上の煮沸消毒をすることが望ましい

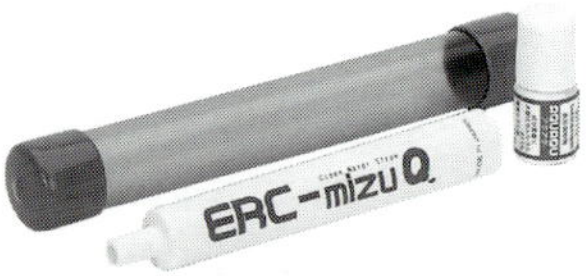

ストロー式の浄水器。コンパクトなのがいいが、浄水能力はそれほど高くない

ポンプ式の浄水器。セラミックフィルターを採用した高性能器

飲み水を作る

どうしてもという場合には、雨水を飲み水にする。できる限り濁っていないものを使い、簡易浄水器で濾過し、市販の浄水剤を入れれば、なんとか飲める。簡易浄水器や浄水剤は防災用のものが多く市販されているので、持ち運びに適したものを非常用バッグにぜひ備えておきたい。火が使える状況であれば、濾過した水を5分以上煮沸させるか、もしくは鍋のふたなどを使って蒸留させる。

自作浄水器

ペットボトルのふたの真ん中に小さな穴を開け、底は切り取る。逆さにして、ティッシュ、小砂利、砂、木炭、毛糸や麻の順に層状に詰める。ひもでつるし、下に水受けを置く。

火をおこす

火は、食料や水を温めたり、暖をとるために欠かせない。
火をおこすためにライターは必ず備えておきたいが、
ライターから火をおこすにもコツが必要だ。

火を大きくするには

ライターは重宝するので、必ず非常バッグに備えておきたい。しかし、たとえライターを持っていても、太い木材などにいきなり火はつかない。燃えやすいものにまず火をつけ、その後に細い木材、最後に太い木材といった具合に、火を大きくしていく必要がある。燃えやすいものの代表が、乾いた紙である。新聞や雑誌、段ボール、ティッシュペーパーも燃えやすい。燃やす木材は乾燥している必要があるが、どうしても湿っている場合は細くして重ね、火で乾燥させながら燃やす。

ビニール素材や化繊、プラスチックも燃えやすいものだが、悪臭や有毒ガスを出すため、けっして燃やしてはならない。

火を大きくするときに、段ボールの切れ端などであおいで、適度に空気を送り込む。このときに、あまり勢いよくあおぎすぎると、火が消えてしまうので注意が必要だ。風が強い場合は、ブロックなどを利用してかまどを作ってやるとよい。かまどは風上側に空気の送り口を作っておく。

ライターがなかったら

火をおこす方法には乾燥した木の摩擦熱を利用する方法が知られているが、そうとうのコツと体力を必要とする。昼間ならばメガネの凸レンズを使って発火させることができる。また、車のバッテリーを使って火をおこす方法もある。針金を使い、プラス極とマイナス極をショートさせ、飛び散る火花を利用して、燃えやすいものに火をつけることができる。

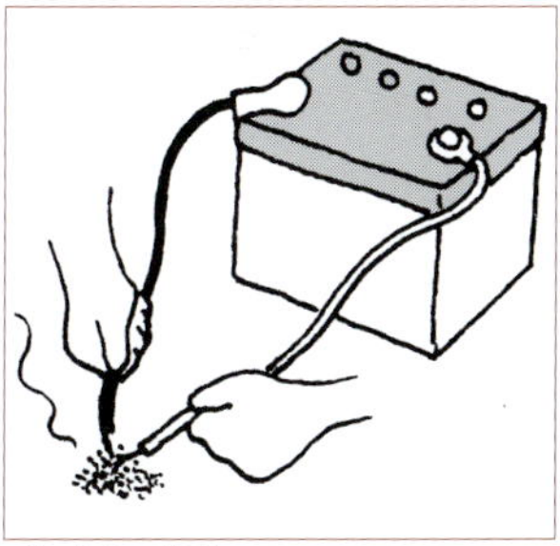

バッテリー発火
車に搭載されているバッテリーは、電圧も高く、容量も大きいので発火させやすい。ただ、感電には気をつけたい。できれば、樹脂で覆われた電気コードを利用したいところ

避難所での衛生

避難所生活で真っ先に問題となったのがし尿とゴミの処理である。どのような生活をしていても、それらはたまる一方だ。阪神大震災を例に、対応策を立てておきたい。

捨てられたパンやおにぎりや牛乳
阪神大震災では被災直後は道路が渋滞し、神戸に輸送するまで時間がかかった。さらに援助物資が神戸に入ってからも各避難所への振り分けに手間どり、賞味期限のある食べ物は捨てられるはめに陥った。善意からなる援助物資もかえってゴミとなってしまう皮肉な結果となったのだ

ゴミ処理は避難生活での大問題

阪神大震災ではライフラインが切断されたため、食事は、弁当やおにぎり、菓子パンなど調理の手間がいらないものが大半であった。それらは手間がかからない一方で、ラップやビニール袋に包まれており、不燃物がたまった。ゴミ回収のクルマも瓦礫《がれき》や家の倒壊によって道路がふさがれ、思うような収集はできず、指定日に指定場所にゴミを出したからといって収集してもらえるわけではなかった。

避難所では、校庭に穴を掘り、生ゴミや食べ残しを埋め、燃えるゴミは燃やして処理された。さらにそれでも処理しきれずに、大阪など近隣で被害に遭わなかった地区へ向かうトラックや人などにお願いをし、ゴミの処理を依託したという。海や川にそのまま放棄したり、公共施設のゴミ箱に詰め込む例もあったという。

悪臭を断つために、生ゴミを土の中に埋める際はできるだけ穴を深く掘り、ビニール袋に入れる際は、あらかじめ新聞紙や紙くずを

中に入れて水分を吸収させ、口はしっかり結ぶようにしたい。

マンホールを外してトイレに

上下水道が復旧しない限り、通常のようにトイレは使えない。仮設トイレもすぐには設置されず、設置されても台数も限られ、あっという間にいっぱいになる。バケツにプールの水を汲んで汚物を流す方法も考えられるが、プールの水も無限ではない。避難後、トイレ問題が被災者を最も悩ませた問題のひとつとなる。

阪神大震災では、段ボール箱にゴミ袋を入れて手作りトイレを作ったり、校庭に溝を掘って足場を渡し、汚物でいっぱいになると土で埋め、次の穴に移動するという方式がとられた。

最も合理的だったのが、下水に直接つながるマンホールのふたを外し、足場を作って周辺を囲い、用をたす方式。非常時に備えて公園などの一部施設で、マンホールに直接、汚水を流せるように改良も進んでいる。

あまり報じられなかったが、トイレのトラブルは数多くあった。悪臭を気にし、避難所からトイレの設置場所を離したはいいが、夜中に行くには遠すぎたり、トイレに行きたくないから水も食べ物も我慢する、我慢しすぎて脱水症状に陥るなど悩みは尽きなかった。

避難所生活というと食料や水に議論が偏りがちだが、トイレ問題も最重要課題のひとつなのである。

仮設トイレ
和式トイレに慣れていない子供も多く、段差があり不安定、とさまざまな問題点が寄せられた

野外トイレを作る

水を使えない状況下において、従来の水洗トイレは流すことができない。流れないトイレで用をたせば、排泄物はたまる一方で、し尿から不快なにおいが発生し、微生物も増殖するため、衛生上好ましくない。

簡易トイレはその場しのぎ

非常用の備えとして、渋滞時に利用する簡易トイレや紙オムツなどを用意しておいても、その場しのぎにすぎず、根本的な問題解決にはならない。地面に穴を掘って作る野外トイレの利用は、救援施設である仮設トイレが到着するまで、有効な排泄物処理の方法だ。作り方は、人が集まる場所から離れた地面に穴を掘るだけだが、穴の深さを確保することが重要になる。一般的には1～1.5mほどの深さがあればいいとされ、深ければ深いほど許容量は増える。穴の径が大きい場合は板を渡して足場を作る。穴の四方に柱を設置し、ビニールシートをかぶせれば、個室トイレとして機能させることができる。排泄物が多くなってくれば埋め、別の場所にトイレを作ればよい。

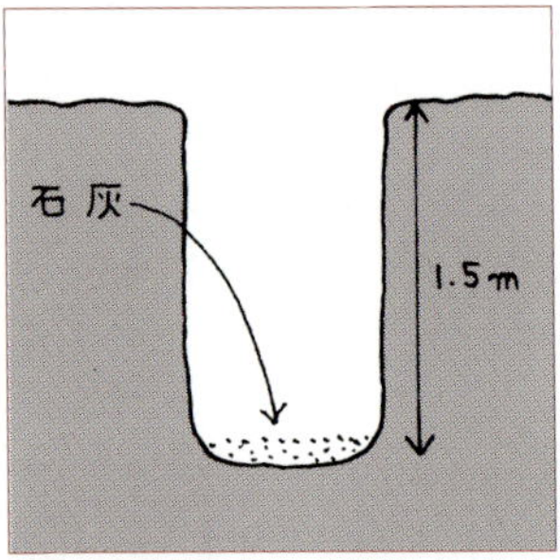

地面に穴を掘るだけの野外トイレだが、ある程度の深さを確保するためにはかなりの重労働である。人ひとりがすっぽりと入れる程度の深さがあれば、機能する

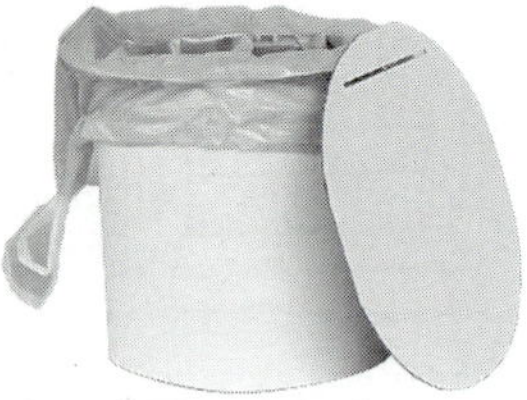
非常用の簡易トイレも売り出されている。ここでたまった排泄物も、野外トイレで処理していく

におい消しには石灰が有効

不快なにおいを消すためには石灰を利用する。穴の底に石灰を振っておき、その後、随時振りかけるようにする。石灰とともに木くずを振りかけてもよい。こうしておけば後に肥料として利用できる。水の流れない水洗トイレにおいて、ビニール袋などを利用して用をたす方法もあり、そこでの排泄物をこの方法で作った野外トイレに捨てていけば、ある程度、清潔性は確保できる。

防寒対策

地震は季節を問わずに起こる可能性がある。冬に被災した場合、寒さから身を守る方法も重要になる。これは屋外にいるときに限らず、暖房機具のない避難所での生活においても同様だ。

保温性の高いアウターとは

防寒具としてまず役に立つのは、登山用のアウタージャケットである。地上よりも低温の高山を想定して作られた登山者向けのものであれば、かなりの防寒効果を期待できる。また、ファッションアイテムとして世に出ている空軍用のフライトジャケット(革製よりも化繊製)も防寒効果は高い。こうしたジャケットは、着なくなったからといって捨てる前に、真空パックして非常用バッグに入れておいてもいいだろう。

保温効果の高いレスキューシート

とっさの避難でジャケットを身に着けられないことを想定し、非常用バッグにはレスキューシートを備えておきたい。特殊素材で作られた薄いシートで、1枚で毛布約2枚分の保温効果がある。1000円程度で入手でき、バッグの中でもかさばらない。また、小型の使い捨てカイロも可能であれば非常用バッグに入れておきたい。

段ボールや発泡スチロールを活用

テントや体育館などでの避難所生活では、たとえ毛布や寝袋にくるまっていても地面や床下からの冷気を無視できない。キャンプ用のシートがあれば、それを下に敷いておきたい。下からの冷気を身近なもので防ぐ方法のひとつに、断熱効果の高い発泡スチロールや段ボールの利用が挙げられる。毛布や寝袋の下に1枚、これら断熱素材を挟んでおくだけで冷気をカットでき、じかに床の上にいるより熱を奪われにくくできる。

レスキューシートと保温材
アルミ素材を使ったレスキューシートは、アウトドアショップや百貨店の防災コーナーなどで簡単に手に入る。くるまっているだけで保温効果が高い

思わぬ力を発揮したスクーター

避難所暮らしとはいえ生活物資の運搬など交通手段は確保したい。
倒壊した道路や車両規制された区域でも、
スイスイと移動できる馬力と機動力を備えた乗り物がある。

ケガ人も搬送

阪神大震災では高速道路が倒壊、道路のあちこちに瓦礫が散乱した。通過可能な道路は慢性的な渋滞で、自動車での移動はほぼ絶望的だった。

MTB
自転車も使える交通手段である。ママチャリと呼ばれる一般的なものだとパンクに注意しないといけないが、タイヤが太くて強いマウンテンバイクのタイプであれば悪路も楽々と進める。自転車の最大の特性は、持ち上げられること。小回りがきき、公園なども通れ目的地に最短距離で進めることだ

そんななか最も活躍した交通手段が50ccのバイク、スクーターである。長野県知事の田中康夫氏がスクーターを駆使し、避難所を巡っていた姿は記憶に新しい。スクーターは、自動車に比べ小さいながらも機動力と馬力があり、足元や前後ろに米や水の入ったポリタンクなど大きなものも積み込める。阪神大震災では、10kgの米袋を3つと大量のパンを大阪から神戸まで運び込んだ事例もあった。またケガ人や病人の搬送にも役立っていた。

道交法上、スクーターはエンジンを切って押して歩けば「歩行者」として見なされる。歩行者は通れ、自動車が通行禁止の地区も押したまま歩けば通過できるわけである。本来はすすめられないが、渋滞もすき間を縫って移動できるので、移動時間が計算できる。燃費にも優れていることはあらためて記すまでもないだろう。

プライバシーのない避難所にじっとしているよりも気分転換にフラリと自然のあるところへ出かけられるのも魅力のひとつである。

住宅再建に支援

命は救われ、安全も確保できた。
会社にもまた通い始め昔の生活は取り戻しつつある。
しかし、倒壊した住宅には住めない。どうしたらよいのだろうか。

全壊したら300万円

地震や津波など自然災害で倒壊した住宅の再建に備え、国が少額ながら支援してくれる。被災者生活再建支援法によるもので、住宅が全壊した世帯に家財道具の調達などのために最高100万円を支援する。さらに、2004年4月から最高で200万円まで給付する「居住安定支援制度」が導入された。この制度の支給額は以下のとおり。

1.住宅が全壊した世帯が新築する場合は200万円。
2.半壊で自宅を新築、補修する場合は100万円。
3.全壊または半壊で賃貸住宅に入居する場合は50万円。

住宅本体の建築費用への利用は認められないものの、被災した住宅の解体、撤去、整地の費用、建て替えや補修のためのローン利子やローン保証料、賃貸住宅に移る場合の家賃、建て替えや補修に伴う登記料、建築確認申請料、仲介手数料、などが支給対象。いずれも被災後3年以内(家賃は2年以内)の経費が対象。なお、全壊とは焼失もしくは流失した部分の床面積が延べ面積の70%以上、または建物の主要部分の損害額が時価の50%以上の場合をいう。半壊とは延焼、流失した部分の床面積が20%以上70%未満の場合、または損害額が時価の20%以上50%未満の場合をいう。

新潟県では中越地震で被災した住宅再建のため、独自に100万円を上限に上乗せ支給を決定した。これは大規模半壊や住宅本体の新築、補修にも使える。

阪神大震災で損壊した建物はおよそ16万棟に及んだ。住宅金融公庫によると、ローンを組んだ世帯は21万世帯あり、約2兆4000億円のローンが残ったと試算された。なかには建てたばかりで被害に遭った人もおり、住んでいない家のためにローンだけを支払うケースもあった。この2兆4000億円のローンは住宅金融公庫のみの数字で、これに銀行などのローンも加わると、被害者が抱えるローンの総額は莫大な数字となり、生活再建に重い足かせとなっている

▶▶▶ 生活再建に備えて P.100

ペットはどうすればいいのか

ペットは飼い主にすれば、わが子同様にかわいいものであろう。とはいえ、阪神大震災の避難所では「人の救助がままならないのになぜ動物を」とトラブルの原因となった。動物からの伝染病をかんがみ、避難場所によっては校庭に一括して集めているところもあった。心の支えになる一方で他人からしてみれば「ただの動物」でもある事実を忘れてはいけない。

災害直後は人間同様に動物にもゆとりはない。動物は危険を察知し、今いる場所から逃げ出そうとする。正確な数字ではないが、阪神大震災では1万匹の犬と猫が被災したといわれている。

被災後にペットと生き別れないためにも、自分のペットの特徴を記したり、写真に撮っておくことが一助になる。ペット仲間同士で連絡し合うこともいいだろう。

犬を鎖から外すのは判断が難しい。ペットとして飼われていた犬は人間に慣れているが、その子供はまったくの野良犬化する恐れが高い。飢えから食料を持った人を襲う可能性がないわけではない。動物の強い生命力を信じて、安全な場所を選び、鎖につなぎ、数日分の水とペットフードを置いてあげるのが打開策といえよう。事前になじみの獣医に相談して預かり先を考えておくことも一案だ。

とりわけヘビや爬虫類《はちゅうるい》など危険度が高い動物を飼っている人は最寄りの動物園などに相談をしておくべきだろう。

ペットがかわいいのであれば、平時からまさかのときも視野に入れて責任ある行動をとらねばならない。

小鳥
かごだけ持って逃げられるように、かごの中や外壁に予備の餌をストックしておく。配給に鳥の餌まではないだろうから

第2章
津波

津波のメカニズム

地震の発生と密接な関係を持つのが津波だ。
津波は大きいものになると10m以上の高さの波が、
一直線上に猛スピードで迫ってくる。

津波発生のしくみ

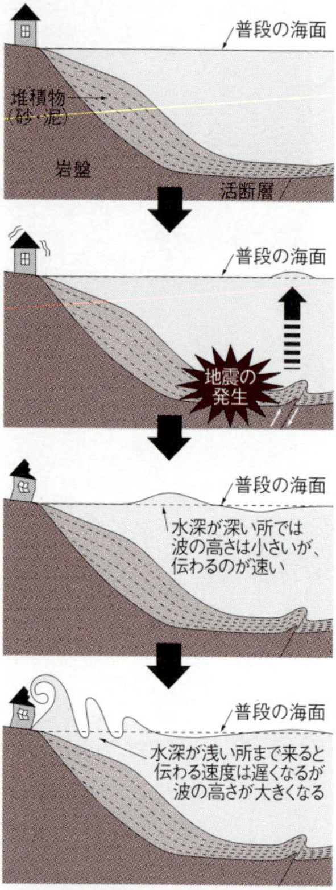

海底に震源を持つ地震による津波発生の様子。浅い海岸に近づくほど、波は高くなる。津波は第1波で終わるわけではなく、繰り返し何度も押し寄せることも多い

地震が津波を起こす

津波は気象現象では起こらない。地殻の変動が海面を変化させることで、津波が発生する。海底火山の噴火や海底地滑りなども津波の原因になるが、大部分の津波が地震に起因している。

たとえば海底の活断層で地震が発生した場合、海底の盛り上がりや沈み込みで、海水も盛り上がったり沈み込んだりする。そこに波が起こり周囲に広がっていく。水深の深いところでは、波の高さは数mほどだが、波長は数十km以上あることもある。この波が海岸に近づき、水深が浅くなってくると、波の高さは高くなり、十数mに達することもある。

津波のスピード

1960年にチリ地震が発生したとき、地球の反対側である日本に津波が達したのは、地震発生からわずか22時間後だった。津波は水深が深いほど早く伝播《でんぱ》する。水深が約5000mの外洋であれば、時速約800kmの速さで伝わっていく。水深の浅い近海(水深約500m)にな

►►► なぜ地震は起こるのか? P.10

っても、時速約250kmのスピードで迫り来るため、わずか数分の違いが命を左右することもある。

陸地で猛威を振るう津波

海岸に打ち寄せた津波は、平坦な地形であれば陸地の奥深く数km以上も浸水する。このときの水の勢いで家屋などが倒され、柱や壁といった大きな浮遊物の衝突によってさらに被害を拡大する。

海水が限界まで達した後、今度は引き波が海に向かって流れる。これにより、人や家屋が流出するのである。引き波による流出をまぬがれても、浸水してしまった家屋は、そうとうの被害を受ける。

津波は川をさかのぼる

津波は川をさかのぼり、内陸部に深く浸入するケースがある(遡上《そじょう》)。大きな津波の場合、海岸からの水の浸入よりも、この川の遡上によって、内陸部から先に浸水することもある。また、海面や川に面した配水管に海水が浸入し、内陸に浸入した例もあるので、沿岸部でなくても油断はできないのである。

内陸部への浸水

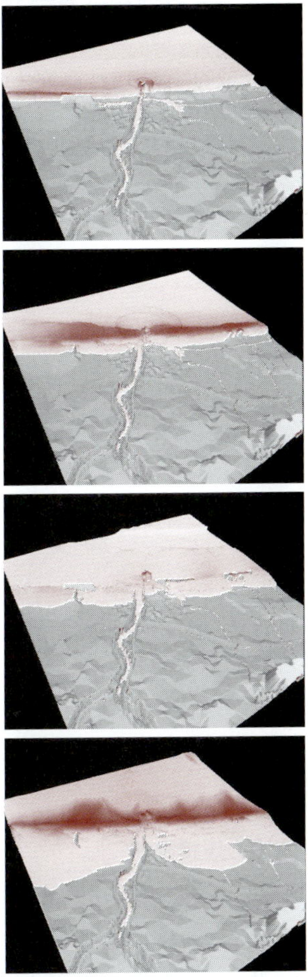

平野部に津波が浸入した仮想図。津波は沖合から一直線上に向かってくるため、一度に広範囲にわたって被害が出る。赤く盛り上がって見える部分が、浸水前の海岸線

[図:東北大学 今村文彦、作成:応用地質(株)]

▶▶▶津波から避難する P.78

津波の規模階級

まだ一般的に認知されていないが、津波もその規模を、
地震のように階級で表すことができる。
ただ、地震とは異なり、被害の範囲や大きさも加味される。

地震と津波の違い

地震の場合、その規模を表す際にマグニチュード(M)を用いる。津波は、この地震に起因して発生するものの、そのエネルギー値をそのまま当てはめることはできない。広範囲にわたって押し寄せる津波は、局地的な最大波高の数値だけでは、その規模を表しづらいのである。地震では、その規模を表すマグニチュードと、揺れの大きさを示す震度の、ふたつの数値があるが、津波の規模階級を表す際は、ふたつをうまく合わせた階級のつけ方を行なっている。

津波の規模階級

津波の規模	波の高さ(最高)	被害程度	エネルギー(エルグ)
−1	50cm以下	無被害	2.5×10^{18}
0	1m前後	漁船・水産施設に被害が出る	1.3×10^{19}
1	2m前後	海岸の家屋を損傷し、船艇をさらう	6.4×10^{19}
2	4〜6m	家屋や人命の損失	3.2×10^{20}
3	10〜20m	400km以上の海岸線に顕著な被害	1.6×10^{21}
4	20〜30m	500km以上の海岸線に顕著な被害	8×10^{21}

m−1から始まる津波の規模階級。エネルギーの欄にあるエルグは、質量と時間、距離から導き出されるエネルギーの単位である。天文学的な数字でわかりづらいが、7×10の20乗で広島型原子爆弾1個分のエネルギーとされる

▶▶▶ 地震の強さと階級 P.20

津波マグニチュード

理科年表によれば、過去に起こった津波の規模階級は「m(スモール・エム)」で表示されている。これは震源(波源)に近い外洋に面した海岸での遡上高と、津波と思われる波が及んだ海岸線の長さをもとに、津波を6段階に階級分けしたものだ。

津波の規模階級で注意したいのは、m–1から始まっていることである。m–1の規模ならば被害はないが、じつは津波規模がm0でも波高は1m前後あり、漁船や水産施設に被害が出る。津波の規模で最大なのは4。これは波高が20m前後で局地的に30mに達する。また、波高4m以上の津波が海岸線500kmにわたって押し寄せるため、その被害は大きい。

こうした津波の規模階級は、津波が起こった後に認定される。1993年に発生した北海道南西沖地震の津波はm3、1994年に発生した三陸はるか沖地震の津波はm1.5とされている。

津波を階級分けする理由

こうしてみると、地震に比べて津波の規模階級のつけ方は難しく、あえて階級分けする必要がないのでは、という声もある。階級分けされること自体、一般的にあまり認知されていないようだ。しかし、災害に見舞われた際の保険認定では、この津波階級を用いているところもある。また、津波の階級分けをしておいたほうが、防災体制の確立にも役立つといわれている。

地震の大きさに比例しない津波

地震が津波を引き起こすといっても、地震の震度が小さいからといって安心してはいけない。たとえば、ゆっくりとずれるプレート運動によって比較的規模の小さい地震が発生したとしても、全体として大規模な断層運動が起こるために大きな津波を発生させることがある。

1998年、パプアニューギニア北西部で起きた地震はマグニチュード7だったが、10mを超える大津波が発生。6000人を超える犠牲者を出した。

津波による過去の被害

海洋国家である日本は海の恵みと同時に災いも被っている。何十年に1度、津波によって甚大な惨事が引き起こされている。その深い悲しみの歴史は全国の津波碑に刻まれている。

チリ地震の津波が日本に

日本のたいていの沿岸部、とりわけ太平洋側はなんらかの津波被害に遭っている。津波は海水がある限り伝播するからである。1896年の三陸地震津波では、地震そのものはわずか震度2～3であったが、吉浜24.4m、綾里38.2mの大波が、北海道から牡鹿半島の海岸に襲来し、北海道6人、青

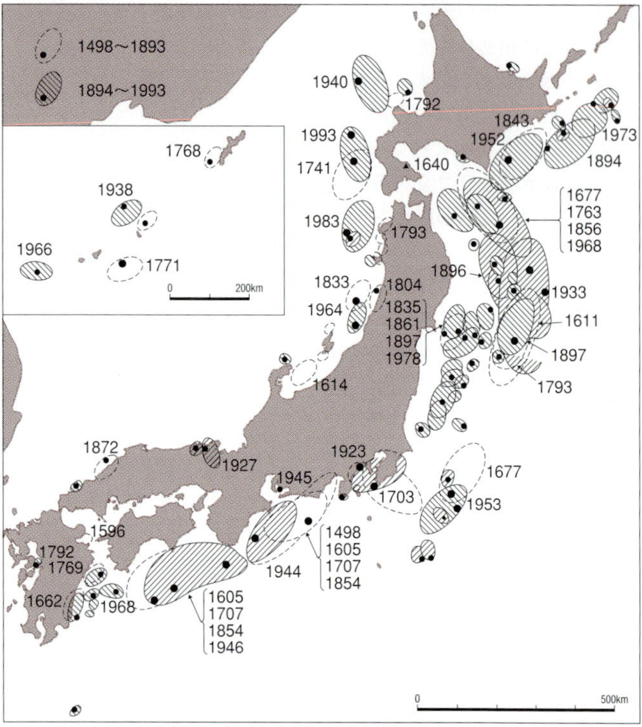

1498～1993年に日本近海で発生した津波の波源域分布
［羽鳥徳太郎『歴史津波とその研究』（1981年、東京大学地震研究所）より］

▶▶▶ 過去の大地震 P.14

森343人、宮城3452人、岩手に至っては1万8158人が死亡し、家屋流失や全半壊は10万を超え、船の被害は7000に及ぶ悲劇となった。津波は太平洋を横断し、ハワイやカリフォルニアにまで及んでいた。

また反対に1960年、チリ地震津波は、1万7000km離れた日本まで伝わり、三陸沿岸では6mの津波が押し寄せ、函館、三陸沖海岸、九十九里にも被害をもたらした。沖縄を含む国内全体の死傷者・行方不明者は142人、家屋全壊1500以上、半壊2000以上を記録した。

低頻度でありながらも一度に甚大な被害を及ぼす津波の恐ろしさを後生に残すために建てられた「津波碑」が北海道から沖縄まで全国に分布している。なかでも古くから甚大な被害に遭っている青森、岩手、宮城の三陸沿岸地域は津波碑が316基確認されている。太古の昔から広大な浸水域と強大な破壊力を持つ津波によって、数多くの悲劇が引き起こされている。

津波から火災が発生！

津波でも二次災害として火災は起こる。1993年の北海道南西沖地震に誘発された津波では、沿岸地域に貯蔵された可燃物や石油やガスが地震や津波によって破壊された。そして津波によって周辺に大量流出。電気のショートなどの原因で引火し、大規模な火災が発生し、焼失件数190件、死者202人、行方不明者28人という大惨事となった。津波は海水であるので、火災とは無関係と思われるが、過去より三陸や新潟など多数の火災被害があるのだ。

昭和以降の主な津波による被害

年 月日	地震津波名	マグニチュード	概　要
1933.3.3	三陸地震津波	8.1	死者行方不明者3064人、波高は綾彩湾で28.7mを記録
1940.8.2	積丹半島沖地震	7.5	波高は利尻で3m、天塩で2m、天塩河口で溺死者10人
1944.12.7	東南海地震	7.9	熊野灘沿岸で5～8m、死者行方不明者は1223人
1952.3.4	十勝沖地震	8.2	北海道で3m、死者行方不明者33人
1960.5.23	チリ地震津波	8.5	死者行方不明者142人、北海道から沖縄までも被害があった
1993.7.12	北海道南西沖地震	7.8	津波は青苗の市街地で10mを超えた
1994.10.4	北海道東方沖地震	8.2	津波は花咲で1.73m。地震と津波で負傷者437人

►►► 過去の二次災害火災 P.82

津波の危険エリア

**地震が発生した後に、間髪入れず押し寄せる津波。
その危険エリアは太平洋側沿岸だけでなく、日本海側にも及ぶ。
島国日本は、海岸線すべてに津波の危険がある。**

津波の危険エリア

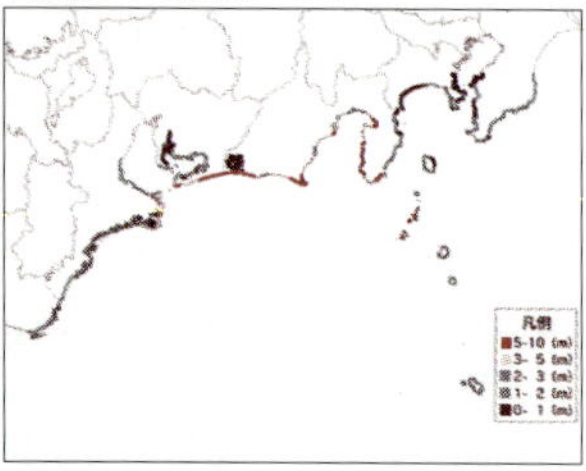

東海地震が発生した際の津波の発生予測図。太平洋沿岸の広い範囲に津波が押し寄せることがわかる。湾内へも小さな津波が浸入する
[出典:中央防災会議「東海地震対策専門調査会報告」]

津波の伝播

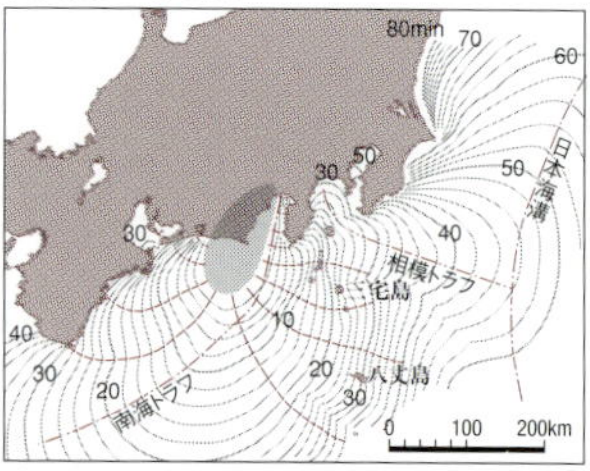

太平洋沿岸部で地震が発生すると、津波は太平洋側全域に伝播し、本州東側の沿岸部を巻き込むように伝わっていく

東海地震による津波危険エリア

東海地区に大きな揺れをもたらす東海地震が起これば、沿岸部への津波も発生する。「東海地震対策専門委員会」がまとめた被害想定では、静岡県と愛知県の太平洋沿岸部には、波高5〜10mの津波が広範囲にわたって発生すると予測されている。現在、急ピッチで津波・高潮のハザードマップが作製されているが、危険エリアと思われる地域の約6割が未完成で、すべて完成するのは2007年になる見通しである。

駆け上がる津波

標高が高いからといって安心できないのも津波の恐ろしさだ。地形にも関係するが、押し寄せる津波のエネルギーが大きいと、海水が谷筋を駆け上がることもある。1993年の北海道南西沖地震では、海岸に約15mの波高の津波が押し寄せ、海岸背後の谷筋を駆け上がって標高30m以上のところまで浸水した。

また、川へ遡上することで、内

▶▶▶ 国内の地震危険エリア P.16

陸部であっても浸水する。配水管などを伝い、一気に海水が流れ込むこともあるので注意が必要だ。

危険な岬と湾内

津波は水深の深いところで速く、浅いところでは遅くなる性質を持っている。その性質から危険とされるのが岬の先端地域である。岬の先端は、遠浅の地形が舌状になって沖に向かっている。こうした水深の分布に関係して、津波は浅い方向に向かって曲がる(津波の屈折)。そのため、岬の先端では、津波のエネルギーが集中し、波高も高くなりやすい。

また、湾内に連続して津波が押し寄せた場合、津波の共振が起こるといわれている。共振は湾の奥へ行くほど津波の振幅を大きくする。複雑な湾に津波が浸入すると、多重反射が起こり、共振が起こりやすくなるともいわれる。

大津波が発生しやすい日本海側

地震の危険はやや少ないものの、大きな津波が発生しやすいのが日本海側である。その理由は、地震の原因のひとつである活断層の形にある。太平洋側の活断層は多くが低角断層(断層の角度が低い)なのに対し、日本海側の活断層は高角になっている。そのため、断層のずれが同じでも、日本海側の活断層は、海面を大きく動かすことになるのだ。

遡上

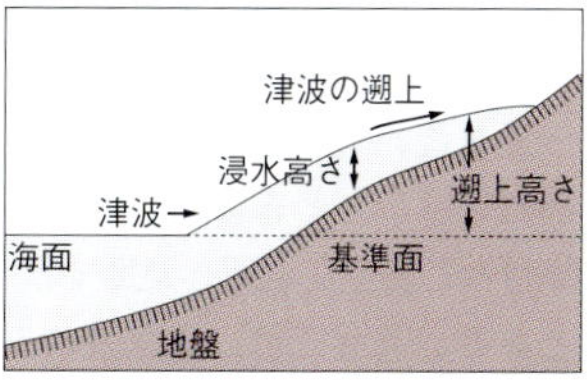

海岸線の地形や、海岸背面の地形によって、津波の浸入も違ってくる。図は津波が山を駆け上った北海道南西沖地震の津波の図。標高が高いからといって安心できない

岬

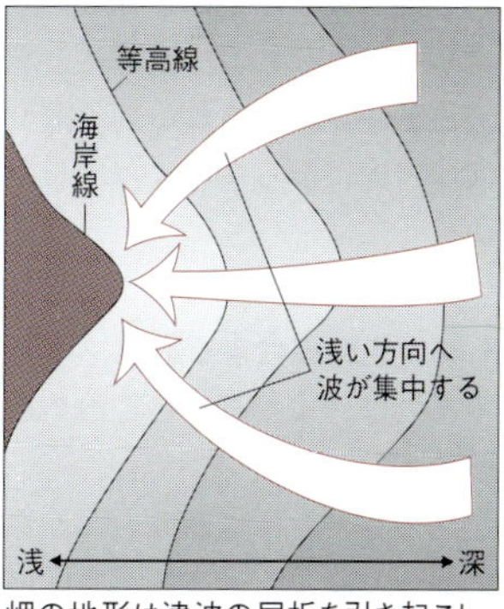

岬の地形は津波の屈折を引き起こし、エネルギーが集中しやすい。波高は大きくなり、被害は大きくなるとされる

津波から避難する

津波が襲ってきたら高台をめざし逃げる。
わずか1mが生死を分ける。
最寄りの津波・洪水のハザードマップを確認しておくこと。

5分以内に逃げる

津波からは逃げるしかない。国土交通省の『防災白書』の「津波から身を守るための心得」によると海岸付近で震度4以上を感じたとき、または弱い地震であっても長い時間ゆっくりとした揺れを感じたときには、急いで高台など安全な場所へ避難する、とある。近海で起こる津波は5分間が勝負になる。近くのビルや岩場に駆け上がることで、わずか1mの差で生き延びたということがある。避難の際は海岸に沿う道や、川へ押し寄せてくるので橋を渡ることは避けたい。携帯ラジオなどで津波警報、津波注意報が解除されるまで家や海岸付近に戻らないようにしたい。

1.真っ先に高台まで避難、可能であれば、より高いところへ避難する

・津波はときには想像もつかない高さになる。過去の浸水区域や想定津波危険地区だけを過信しないで、いざというときは一段高台の、より安全な場所にも避難できるような心構えが必要だ。

2.車による避難の原則禁止

・ちょっとした原因で車は渋滞し、津波に巻き込まれる危険性が高い。

・1993年の北海道南西沖地震では、避難車両が渋滞し混乱した。

3.家財や持ち船など財産の持ち出しはあきらめること

・貴重品を取りに戻って津波に巻き込まれた人、船が心配になって様子を見に行って津波に巻き込まれた人も多い。

・数分の差が生命を左右する。

4.津波が浸水を始めたら、遠くの避難はあきらめ、近くの建物などでも、できるだけ高いところに上がる

・浸水している中では、漂流物にぶつかるなど転倒する危険が大きく、避難できなくなる。

・50cm程度の津波でも、巻き込まれて亡くなるケースがある。

5.岩場や堤防など硬いものからできるだけ離れる

・津波にのみ込まれた場合、死因の多くは、岩やコンクリートなどの硬いものにたたきつけられて気絶したり、負傷して水死するケースが多い。

6.やむを得ず建物に避難する場合は、海岸に面する前面のビルより、２列目、３列目の建物に避難する

・海岸の前面よりも、陰になる場所で、津波のエネルギーを少しでも逃れる

気象庁による津波警報に注視すれば迅速な避難も可能だ。現在の警報体制が確立されたのは1952年の気象事業法からで、その歴史は古い。1999年にはより詳細で具体的な津波の高さまでを指摘できる予報が開始されている。恐ろしい津波から身を守るには情報の収集がまず第一歩となる。

津波予報の種類と津波の高さ

気象庁では、地震に伴う津波の発生が予想されるときに、津波予報を発表している。発表される津波予報は、予想される津波の高さに応じて以下の３種類がある。

最新の津波警報システムがありながら、テレビやラジオなどで警報が伝えられても、迅速な避難行動が起こせないのが実態であろう。自宅や勤務地から避難する際、どのような避難経路があり、どのような手段で逃げるのかを確認することで、安全に速やかに避難場所へ移動できる。自宅や勤務地のある地区の高さや防潮堤等の施設との高低差も調べておくべきだ。各自治体ではハザードマップを作製し、過去の津波の実例とその被害、将来に発生するであろう津波の規模や被害をまとめている。津波への認識と理解を深めるために確認するべきだろう。

どこが安全域か確認しよう

津波予報の種類

予報の種類		解　説	発表される津波の高さ
津波警報	大津波	高いところで3m程度以上の津波が予想されますので、厳重に警戒してください	「3m」「4m」「6m」「8m」「10m以上」
	津波	高いところで2m程度の津波が予想されますので、警戒してください	「1m」「2m」
津波注意報	津波注意	高いところで0.5m程度の津波が予想されますので、注意してください	「0.5m」

家がなくなったときに備える

首都圏直下型地震に備えて、東京中野区では日本初のユニークな制度の導入を検討中だ。耐震工事を施したにもかかわらず、震度6強までの地震で家屋が全壊したら、工事費用と同額を区が払うというもの。この制度で、倒れやすい木造アパートの耐震化を促進する狙いがある。同区には、約8万戸の木造住宅があり、そのなかの6割がアパートとなっている。その6割のうち、45%が耐震基準改正前に建てられたもので、耐震化の必要があるにもかかわらず、耐震改修には数百万円単位で費用がかかるため、アパート所有者は二の足を踏んでいた。制度は2004年度中にもまとめられる予定だ。制度を受けるためには、耐震基準で等級1(震度6強でも倒壊しない)を満たし、損壊規模を判定してもらうために地震保険に入らなければならない。

地震保険には財務省の政策金融商品として提供されている日本損害保険協会の地震保険や全労災の商品もある。地震だけの被害では保険として成り立たないため、基本的に火災保険とのセットでなければ加入できない。もし家屋が被害を受けた際には、損壊規模(全損、半損、一部損)に応じて保険金が支払われる(保険商品によっては異なる場合もあるので注意が必要)。保険料は、47都道府県を地震の危険度が低い地域から高い地域の順に、1〜4等地に分け、4等地が最も高い。一定規模以上の支払いが生じた場合、保険金の一部を政府がバックアップする。

阪神大震災が発生した後、無防備さを後悔した人たちも多い。いざというときの備えがいちばん大事だ。

各都道府県の等級
最も保険料が高いのは東京都、神奈川県、静岡県の3都県。地震保険には津波による被害も含まれるが、茨城県は意外にも2等地扱いになっている

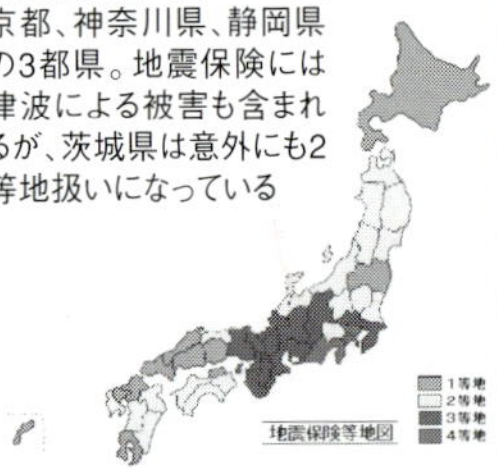

(財務省ホームページより転載)

第3章

火災

過去の二次災害火災

**関東大震災での被害は家屋倒壊よりも火災によるものであった。
家財を積んでわれ先にと非難する大八車が消防車の行く手を遮ったのだ。
救命・消火活動の妨げにならないよう、過去の教訓から学ぼう。**

関東大震災以降、10棟以上焼失した地震は81年間に14回起きている。とりわけ記憶に新しいのは1993年の北海道南西沖地震と1995年の阪神大震災だろう。

北海道南西沖地震では、奥尻島の青苗地区での２件の炎上火災から190の棟数を焼失した。また阪神大震災で大規模に延焼したのは、木造家屋が密集する神戸市長田区と須磨区に集中し、6900棟が全焼した。関東大震災では家財道具を積んだ大八車や荷馬車が消防車の行方をふさぎ、惨状を招いた。

阪神大震災にしても、震度7という規模は想定外だった。消防車や水道など防災施設は完備されていたはずだが、ライフラインは途切れ、ガレージがひしゃげて消防車がすぐに出動できなかった。出動しても避難住民の自動車で埋まった道路で立ち往生し、思うような救命や消火活動ができなかった。

救命、消火活動の妨げになる行動は慎むべきだ。

1923年の関東大震災。地震後発生した火災によって被害を大きくした

1993年の北海道南西沖地震による火災。近年の沿岸開発によって被害も複雑化した

地震などによる二次災害としての火災の概要

年 月 日	地 震 名	規 模	被 害
1923.9.1	関東大震災	M7.9	東京の火災での死者は4万8000人を超えた
1925.5.23	北但馬地震	M6.8	兵庫県円山川町村で焼失2328棟、出火件数22
1927.3.7	北丹後地震	M7.3	京都、兵庫を中心に全焼9151棟
1930.11.26	北伊豆地震	M7.3	静岡県下で75棟焼失
1933.3.3	三陸地震津波	M8.1	岩手県釜石町で216棟焼失
1943.9.10	鳥取地震	M7.2	鳥取県下で251棟焼失
1946.12.12	南海地震	M8	和歌山県新宮市を中心に2598棟焼失
1948.6.28	福井地震	M7.1	福井県下で3960棟焼失
1952.3.4	十勝沖地震	M8.2	9件の出火から5棟半焼、15棟全焼した
1952.3.7	大聖寺沖地震	M6.5	石川県、福井県で27棟焼失
1964.6.16	新潟地震	M7.5	新潟市で9カ所の出火により290棟焼失
1968.5.16	十勝沖地震	M7.9	青森県、北海道で18の全半焼
1993.5.16	北海道南西沖地震	M7.8	船舶や車両火災によって出火。総失棟数190
1995.1.17	阪神大震災	M7.2	ストーブにより火災。半数が地震直後に

（古今書房刊行の『自然災害を知る・防ぐ第二版』などから引用して作成）

二次災害の火災を防ぐ

地震が来たら次に気をつけないといけないのは火災だ。過去の地震でも二次災害としての火災によって多くの人命が亡くなっている。台所のほかにもブレーカーやガス栓など注意すべき点は多い。

料理中に地震が来た
地震が来た！　そのときはあわてずにまずはガスコンロなどの火を消す。もし火事になったら、大声を上げたり、フライパンとおたまなど身近なもので音の出るものを活用し、消火の手伝いをしてくれる人を呼ぼう

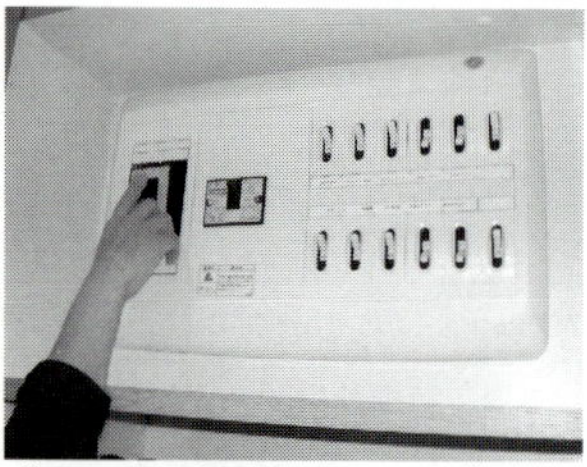

ブレーカーを落とす
阪神大震災では、地震から2日後に電気が復旧した直後、多数の火災が発生した。電気系統の破損が原因で火花や熱が発生したためだ。そうならないためにも、避難の際は必ずブレーカーを落とす必要がある

「グラリときたら火の始末」といわれるように、地震後に心配されるのは火災である。1923年の関東大震災では、地震発生が昼食時であったため、被害の多くは火災であった。東京市（当時）は二昼夜にわたり燃え続け、3846万m^2が焦土と化し、総戸数の71％に当たる32万戸が焼失した。

1995年の阪神大震災では、地震発生が早朝であったため火災被害は免れたといわれるが、神戸市では50万m^2が焼失している。台所などの火気を扱う場所からの出火だけでなく、地震でむき出しになった屋内配線のショート、スイッチが入ったままのコンロ、電気ストーブなどの電化製品が過熱して火災につながった例もある。

さらに、停電復旧後の通電火災も目撃されている。地震が来た後にはまずは火の始末。ついで電気のブレーカーを落とす、ガス器具の栓を閉じるなど細心の注意を払う必要がある。各家庭からできうる限り火災を出さないことで、二次災害としての火災による危険度も下がるのだ。

▶▶▶ 避難する P.50

煙の中での避難

火災に伴う有毒ガスが人命を奪うケースが多い。
一酸化炭素やシアン化水素、大量のススなども発生する。
まずは煙の特性を理解することが大切だ。

家庭や店舗から火を出さないことは大切だが、大規模な災害によってすでに火の手が大きくなってしまったら、消すことは困難だ。消火法についての詳細は後述するとして、ここでは起こってしまった火災から逃げ出すにはどうすればいいのかに触れる。

まずは煙に要注意だ。大量のススや一酸化炭素、石油化学製品から作られた洋服、寝具、カーテンからはシアン化水素などの有毒ガスを発生する場合がある。有毒ガスによる体のまひやしびれ、中毒死もあるのでけっして吸ってはならない。

次に煙の特徴を知ることだ。煙は空気より軽いのでまずは天井に上昇し、横へ広がりしだいに床へと広がっていく。煙の速度は人間が歩くスピードより若干速いので、数分で部屋に充満してしまう。上昇している間に低い姿勢で這うように逃げること。ぬれたタオルを口に当て(なければ袖口などをお茶やコーヒーなどでぬらし)、壁に手を当てて壁伝いに進んだり、階段では後ろ向きに這うようにして下りる。炎がなく煙だけなら、大きめのビニール袋に空気を入れ、それを頭からかぶり首の周辺で軽くすぼめると簡易マスクとしても使える。

階段を這う
煙は高温の気体のため吸い込むと気管や肺にヤケドを負い呼吸困難となる。立ち上がって走って逃げ出すと吸い込む危険性も高い。慎重に這って進もう。階段の段のコーナーには空気が残っているのでそれも活用できる

タオルで口や鼻を押さえる
横への煙は毎秒0.5mとゆっくり進むが、窓が開いていると流れは急激に速くなる。階段などの縦型では毎秒3～5mと速くなる。煙を吸わないためにも、脱出時にはハンカチやタオルで鼻と口を包む。なければ上着や袖口をジュースやお茶でぬらし覆う

▶▶▶ 避難する P.50

火災を起こさないために

火災を起こさないためにできることはある。
タバコによる火災、ストーブからの火災、てんぷら油からの火災、
電気からの火災、放火による火災などを防ぐことが肝心だ。

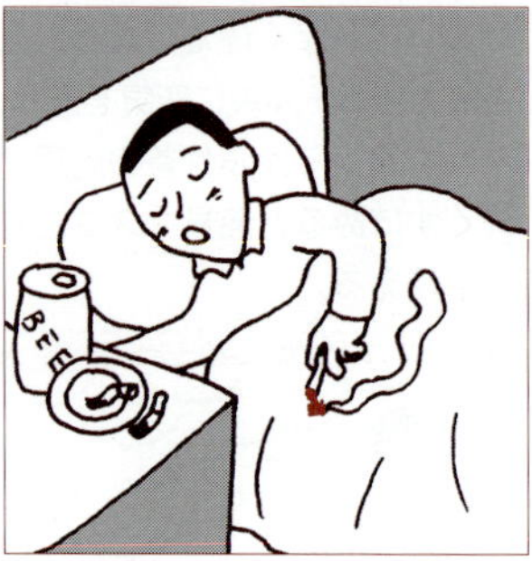

タバコによる火災
飲酒後の寝タバコほど危険なことはない。判断力の低下もあって、気がついたときには手遅れという事態にもなりかねない

てんぷら油に引火
油の火災には水をかけない。油がはじけ炎が飛散するからだ。消火器で消すか、ぬらしたシーツやバスタオルを絞ったものを上にかぶせ、空気を遮断する。いったん火が消えても、まだ温度が高いと再度燃焼する可能性があるので注意。衣服にも引火する可能性がある

日常でできる5つの火災防止策

火災が起こる原因はいろいろ考えられるが、自分の手では防ぎきれないこともある。とはいえ、個人個人の努力によって火災を防ぐ手だてはある。

1.タバコによる火災を防ぐ

寝タバコは絶対にしてはいけない。特に酒に酔っての寝タバコは危険だ。灰皿には水を入れて使い、吸い殻の処理はまめに行なう。吸い殻を直接くずかごに入れない。

2.てんぷら油からの火災を防ぐ

てんぷらを揚げているときは、絶対にその場を離れない。その場を離れるときは必ず火を消す。

3.石油ストーブによる火災を防ぐ

石油ストーブに給油するときは、必ずいったん火を止めること。またストーブの周辺に可燃物を近づけない。

4.電気系統からの火災を防ぐ

電気のコードは家具などに踏まれないようにする。傷んだコードは早めに交換。たこ足配線は極力避ける。

5.放火による火災を防ぐ

家の周辺を整理し、段ボールや

新聞などの燃えやすいものを置かない。ゴミ出しは決められた日時を守る。

以上の5つの防止策以外にも、就寝前の火元点検や子供への教育など家族間でも心掛け、火災防止に役立てるべきだ。

停電復旧後の火災

1994年の米国・ノーズリッジ地震によって停電の復旧後、電気系統のトラブルから火災が発生し、通電火災が知られることとなった。阪神大震災でも同様に通電火災が確認されている。地震でむき出しになったり、傷んだ配線のショートによる出火、スイッチの入ったままの電化製品が過熱して火災につながったりもした。まれな例だが、熱帯魚を飼う水槽に入れた水温調整用ヒーターが出火の原因となったこともある。火災原因は火を使う台所だけではないのだ。震災後に数日たっても火の手が上がり、当初は火災原因が特定できずに「放火」との疑惑が上がっていた。

この通電火災を防ぐには、地震後に家屋を空ける際、ブレーカーを落とすことだ。また石油ストーブにも注意を払いたい。最近のストーブは耐震装置が付いているものがほとんどだが、火が消えても天板に余熱は残っている。カーテンや衣服など引火しやすいものは離しておくこと。

石油ストーブ
給油中は必ず火を消す。上に洗濯物を干したり、燃えやすいものを近くで使わない。外出や就寝のときは必ず火を消す

電気系統からの火災
電源の入ったままのトースターやオーブンレンジが危険であることは言うまでもないが、照明器具や蛍光灯も火災の原因となる

放火による火災
放火は火災原因のトップである。建物の周辺に燃えやすいものを置かない。空室、車庫、物置の施錠にも気をつけたい。照明器具を取り付けるのも一案だ

消火に備えて用意するもの

備えていればこそ役に立つ消火器具の数々。
まさかのときに生命・財産を守るため、最低でも住宅用消火器は
用意したい。ゆとりがあれば警報器類も装備しよう。

エアゾール消火器
ちょっとした火の不始末にはこのタイプが役立つ。スプレー方式なので火元に狙いを定めボタンを押すだけ。消火器の購入や廃棄などに関する相談は、最寄りの消防署に問い合わせるのがいちばんだ。または日本消火器工業会☎03-3866-6258で受け付けている。悪質な訪問販売には気をつけたい

消火は早いほど効果的だ。人命や家屋が失われる火災の恐怖を遠ざけるために、消火器具はぜひ用意したい。ただし、とっさのときに気が動転して消火器を扱えない事例もあるので、地域の防災訓練に参加して使用に慣れておきたい。

小さな炎にはエアゾール式簡易消火用具が向いている。簡易消火器を1本用意するだけで大きな差が出る。軽量で小型のため高齢者にも好評だ。消火器使用のポイントは以下のとおり。

1.姿勢を低くして煙を吸い込まないようにする。

2.手前から掃くように、火元へ10～20秒振りかける。焦らずに的確に火元へ噴射すること。木材やふとんなど後から燃えだす危険のあるものは、消火後さらに水をかけ火種を根絶やしにする。

経済的なゆとりがあれば、住宅用スプリンクラーや火災報知器、ガスもれ警報器の設置も検討したい。防火用の寝具や、カーテンなどをそろえるのも一考だ。生命・財産を失うことを考えれば、いくばくかの消費も考えておきたい。

防災訓練への参加

災害に備え防火器具を購入してひと安心していないだろうか。まさかのときに器具を冷静に使いこなせなければ、せっかくの防災器具も宝の持ち腐れとなってしまう。それを防ぐには防災訓練に参加し、実際に使用することが近道である。実際に火を消すことや煙や熱を経験することは、とっさの対応に大きく役立つはずだ。大きな火の手を眼前にして、恐怖にすくむこともある。近隣の自治体で開催される防災訓練に参加したり、会社や学校で開催される訓練もおろそかにしないことだ。町内会や最寄りの消防署、自治体などに尋ねて情報を入手しよう。

いざというときは助け合うことも大切だ。お年寄りや体の不自由な人は自力による避難が困難なケースもある。各町内会や自治会、近くに住む人の手が必要だ。社会福祉施設は、町内会と共同体制を結んで支援協力体制をつくるのも一案だ。情報や意見交換をすることで、防災におけるネットワークも生まれる。また、話し合うことで地域の連帯が生まれ、しぜんと放火されにくい環境づくりにもなる。「自分たちの街や家は、自分たちで守る」という意識を持って取り組みたい。

警報器類
住宅用に小型化された火災報知器。室内に設置する感知器と外で音を出す警報装置

温度センサー付きガスバーナー

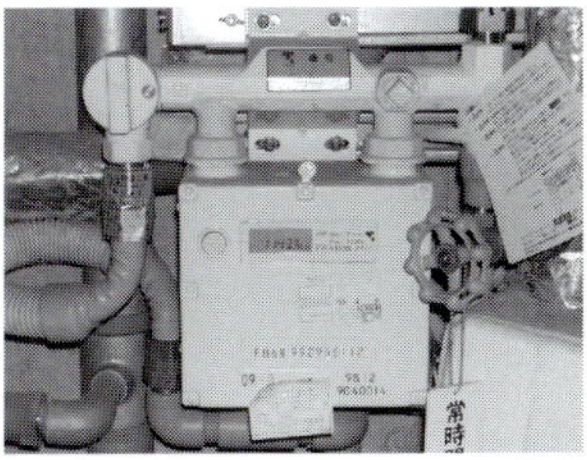

マイコンを使用したガスメーター。高齢者や障害を持つかたと暮らす家庭には、最寄りの市町村の高齢福祉課、障害福祉課へ問い合わせを。安価で安全なシステムづくりを手掛けてくれる自治体もある

消火テクニック(基本)

消火への動作はわずかに3つ。
焦らず、冷静に、炎ではなく火元を的確に狙うこと。
そして、再燃防止のため火種は必ず断つこと。

消火器の使い方

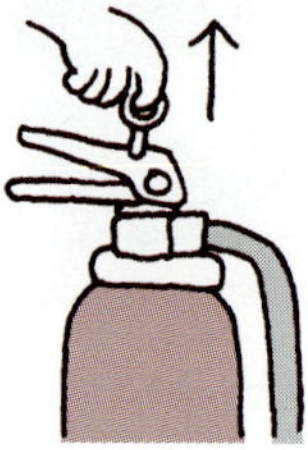

1 安全ピンを引き抜く

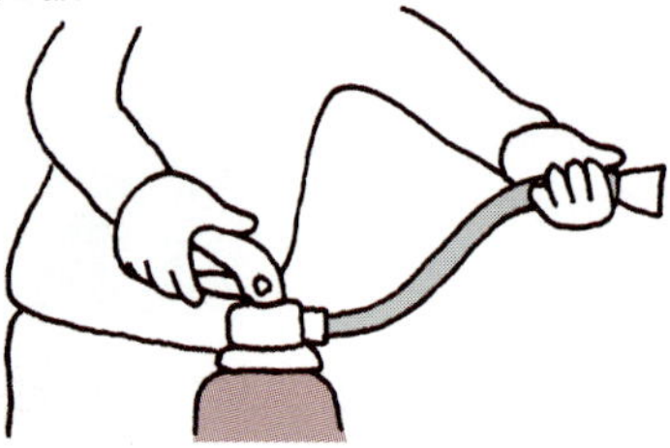

2 ホースを外し、火元に向ける

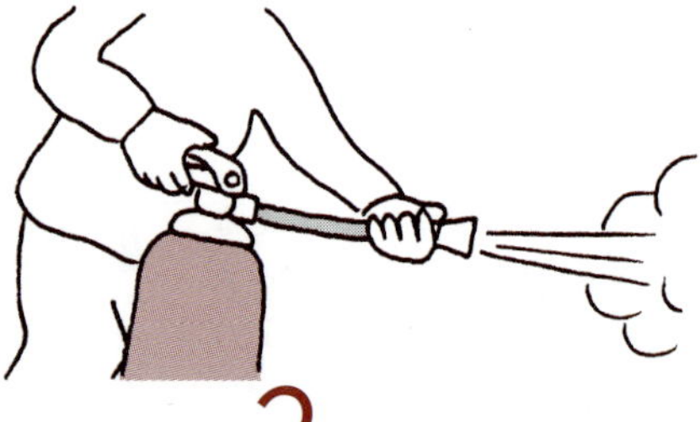

3 レバーを強く握り発射

火を消す3度のチャンス

1 揺れを感じたとき

地震発生直後はそれほどの強い衝撃ではないはず。「グラッ」ときたそのとき、2〜3秒の瞬間をとらえガスコンロなどの火を消す

2 大揺れが収まったとき

大きい揺れのときは、まずは机の下などに身を伏せて「揺れ」が収まるのを待つ。収まった瞬間に使用中の火を消す

3 出火したとき

出火後1〜2分程度では燃え広がらないので、あわてずに消火器で鎮火できるし、近隣の人へ救助も求められる。もし天井まで燃え広がったら迷わずに非難を選ぼう。服装や持ち物にこだわらず早さを心掛ける。とはいえ、二次災害を防ぐために、逃げる間際にはブレーカーを落とすことなども忘れずに

消火テクニック（応用）

消防車が来るまでにできる限り火の手を弱めたい。
だが、手元に何も防災グッズがないときもある。
そのときはこんな意外なものが役立つこともある。

シーツをかぶせる

手近な防災グッズがないときにてんぷら鍋や石油ストーブから火の手が上がったらどうするか。シーツやタオル、上着をぬらし、軽く絞り空気を遮断するようにかぶせる。水浸しだと炎が飛散する恐れがある

電化製品から炎が

火に注意を払いながらもコンセントを抜くこと。コンセント自体から火の手が上がっていたり熱を持っていたらブレーカーを落とす。電気が止まっていることを確認してから水をかける。プラスチックが燃え有害な煙を誘発する恐れも高いので吸ってはならない

自分の体に着火

自分の衣類に着火した際は映画のスタントマンがやるように床をゴロゴロと転がり火を消す。水があれば全身にかぶる。また頭髪に着火したらタオルなどをかぶり空気を遮断する

1ℓパックの牛乳や金魚鉢の水など

1ℓパックの牛乳やウーロン茶なども非常時には使える。また風呂や金魚鉢の水、庭の砂などもとっさのときに役立つ。身近なものでも案外役立つものは多い

SBK投てき水パック

特徴

専用の水袋に水を入れ、それらを次々に火元へ投げ込む。袋が割れて中の水で消火を行なう手作りの消火具だ。問い合わせは㈶市民防災研究所☎03-3682-1090へ

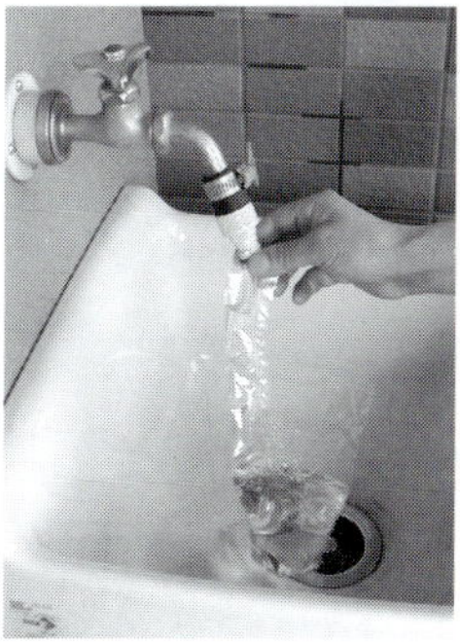

作り方

水袋の口から水を入れる。こぼれないように2カ所結ぶ。割れやすいので、ぬれてもいい洗面所やベランダ、トイレなどに置く。とっさのときに使うものなので取り出しやすいところに置くこと

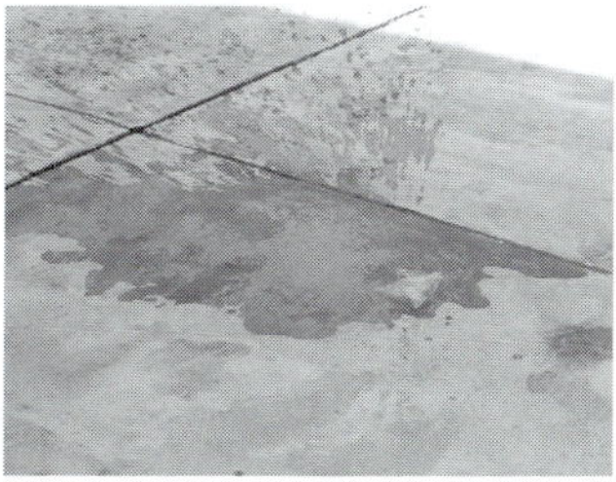

使い方

大きな火には投てき水パックを投げつけて消火をする。小さな火にはツマミをちぎり、水を押し出して消火。長期の断水時には、生活用水としての転用も可能だ。
ただしてんぷら油火災には爆発的な燃焼をするので使用禁止

一戸建てで出火

万が一自宅で火の手が上がったら、何よりも落ち着いた行動が肝心だ。119番通報時には的確な情報をあわてずに告げること。マイホームにこだわらず、大きな火の手には避難すること。

もしも自宅が火事になったらどう対処すればいいのだろうか。火の大きさによるが、ひとりで消そうとせずに、まずは大きな声で火事が起きたことを第三者へ告げることが大切だ。

それと同時に119番通報を行なう。パニックに陥ると、自宅の住所でさえ忘れることもある。電話の近くに自宅の住所や目印となる建物を記したメモを貼りつけて対処しよう。

火の手が天井に燃え移るまでは初期消火が可能だ。あわてずに消火を行なおう。とはいえ、消火が困難であると判断したら、家財などにこだわらず煙に気をつけて安全な方法で避難をしよう。

カーテンに火がついたら、引きちぎって消す。ただし天井に火がつくと火の手は止められない。即刻退避しよう。自らの命が第一だ

►►► 煙の中での避難 P.85

マンションで出火

**マンションの隣室から火の手が上がったら。
まずは類焼を防ぐために燃えやすいものをかたづける。
そして窓を閉めて、火の手から遠いほうへ避難しよう。**

自分の家でどれほど防火を行なっていても、マンションのような集合住居では隣家からの出火もありうる。鉄筋コンクリートの建物は耐火構造で各戸が区画されているので、まずは洗濯物やカーテンに飛び火するのを防ぐことを考えよう。119番通報とともに周辺住民にも火事であることを大声で叫んで告げる。そしてきちんと戸締まりをして速やかに避難をする。

マンションなどには避難用のタラップやはしごが設置されているものもある。平時に確認すること。またベランダにある隣家との仕切り板は、壊れやすいように設計されている。避難の際は、仕切り板を壊し、火の手から逃げよう。下にも横にも逃げられないときは屋上に避難し、助けを求める。

また上階が火事になると、多量の放水による水もれが起こる。ぬらしたくないものは風呂場に入れておけばいい。

もし逃げ遅れたら、煙の進入を防ぐため、ドアにぬれタオルや衣類で目張りをし、外部からめだつものを振って助けを求めること。

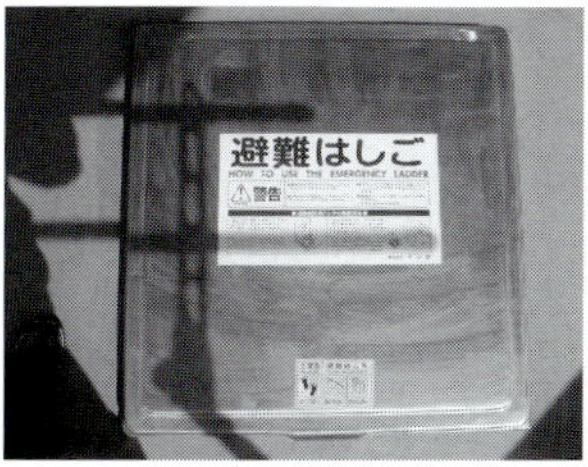

マンションなどには避難用のタラップやはしごが設置されているところもある。平時に確認しておきたい

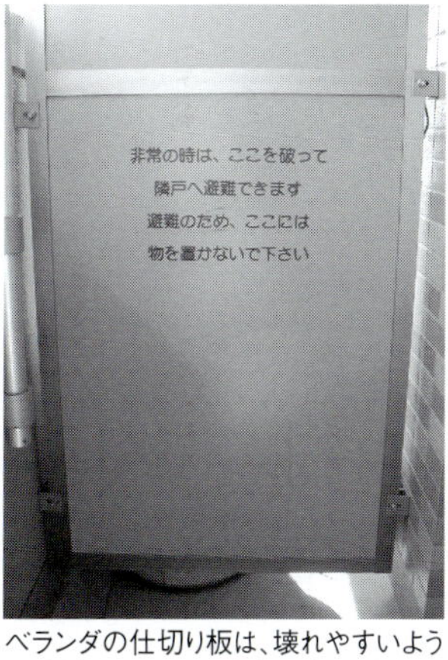

ベランダの仕切り板は、壊れやすいように設計されている。仕切り板を壊して、火の手から避難しよう

▶▶▶煙の中での避難 P.85

高層ビルでの出火

**都心では六本木、丸の内、汐留など超高層ビルの建設が相次ぐ。
もし高層ビルで火災に遭ったらどうすればいいのだろうか。
そして、9.11でのワールドトレードセンタービルではどうだったのか。**

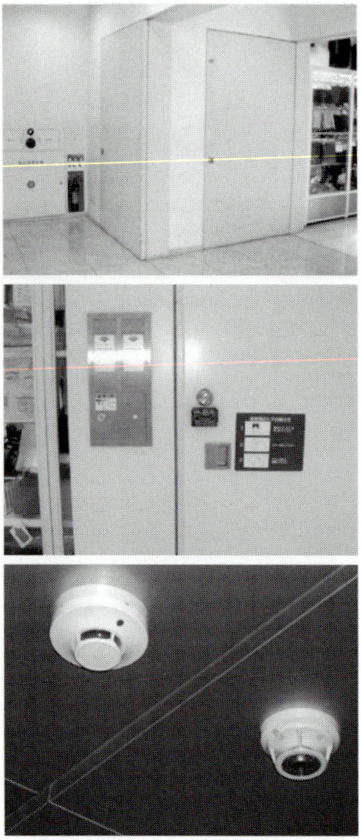

ビルの防火施設
高層ビルには火災が起こっても火の手が広がらない工夫がなされている。天井や壁を不燃材で加工し、扉やシャッターを閉めてそれ以上、火災が広がらないように防火区がなされている。天井に火が届くと自動消火設備であるスプリンクラーが反応し、水を吹きかけるなど安全対策に余念がない

高層ビルとは、地上30m以上の建物と定義されている。これは約10階建ての建物に相当する。超高層ビルとは60m以上で、20階建て相当。地上から離れれば離れるほど、さまざまな危険度は増す。

もちろん、火事などに備えて不燃材を使用し、防災区で区分けをし、スプリンクラーや非常ベルを設置するなど防災には余念がない。

しかし、大規模な被害時には防災設備でも制御できない事態が起こりうる。とりわけ、避難時にエレベーターの使用は避けるべきだが、不運にもエレベーターの使用中に災害に見舞われたらどうすればいいのだろうか。

基本はふたつ。火災感知器が付いているものは、自動的に最寄りの階で止まるので、自力でドアを開けて脱出を試みる。感知器がないエレベーターの場合、複数のボタンを押し、最初に止まった階で降りる。もし停電しても、自動発電装置や予備バッテリーによって最寄り階までは動く。そこから先は基本的な避難方法をもとに、確実な安全対策を実施してほしい。

▶▶▶ 煙の中での避難 P.85

ワールドトレードセンターでは

高さ417m、110階建てのニューヨークのワールドトレードセンタービルは、最上階から地上まで非常階段で下りると28分かかる計算であった。しかし実際に事故が起きた9.11、それはまったくの机上の空論であることが証明された。

各フロアから避難者が非常階段に殺到し、一方、地上からは救助隊が駆け上がるために避難者を押し戻したこともあり、時間内に避難できなかった。実際に70階からの避難者は50分もかかったといわれる。

超高層ビルの火災に対する課題は、避難にかかる時間が長く、建物の外からの消火活動が困難になることだ。前述したようにスプリンクラー・防火戸などで防火対策が練られているし、最新のビルは、屋上から消火・避難ができるようヘリポートも造られている。また、建築基準法や消防法で非常階段に予備室を設けることや、スプリンクラー設置などを義務づけているが、それでも絶対に安全とはいいきれない。非常時の避難の際は、混雑だけでなく停電や煙、さまざまなマイナス要素が加えられる。「非常時の避難は平時の10倍」と考えておくのが妥当だろう。個人または組織が高い防災意識を普段から持つことが重要である。

2001年、新宿区歌舞伎町での雑居ビル火災では44人の犠牲者が出た。縦長で階段がひとつだけのいわゆる「ペンシルビル」と呼ばれるものだが、唯一の階段にも荷物が積み重なり、逃げ場がないため、惨事につながった。実社会にはこの例のように消防法を無視するものもあることを知っておきたい。百貨店でもスペースに苦慮するところでは、日常的に階段室が物置のような状態になっていることもある

ビルから避難するときは停電で止まる恐れのあるエレベーターに乗るのは厳禁だ

トンネルで火災に遭ったら

もしも高速自動車のトンネル内で、またはもしも船内で火災に遭ったら、過去の事故から見ても大惨事は免れないようだ。
とはいえ、生き延びるための方策はいくつかある。

トンネル内の火災は恐ろしい。1979年、日本坂トンネルにて大規模な火災が発生した。2日間燃え続けた結果、7人が死亡し、173台の自動車が焼失した。海外の例では2000年、オーストリアのスキー場に向かうケーブルカーがトンネル内で火災を起こし、170人が亡くなった。また2003年、韓国テグ市内の地下鉄火災では350人の死傷者を記録した。このように、トンネル内で火災が発生すると甚大な被害をもたらす。

2001年、山陽自動車道の黒河内山トンネル（山口市）の事故で大型トラックが炎上した。消火活動や避難も、トンネルでは困難を極める

ここでは一例として、高速道路のトンネル内を走行中に火災事故に遭った場合の対処策を記そう。

1. 速やかに減速し、追突を避けるため自動車を左側に寄せて止める
2. 車外に出たら道路端の歩行用通路に避難する
3. 可能なら携帯電話で、または200m間隔で設置される非常電話で事故を通報
4. 消火栓、消火器は100mごとに設置してあるので確認（交通量の多い道路では50m）
5. 携帯ラジオがあれば情報収集
6. 3000m以上のトンネルには避難用トンネルがあるので、避難誘導標識灯を目安に避難
7. 風向きを判断し、風上側に避難
8. 勾配のあるトンネルでは煙は高いほうへ流れるので、反対の低いほうへ逃げる
9. 煙には細心の注意を払って逃げる

▶▶▶ 煙の中での避難 P.85

電車・映画館で火災に遭ったら

**不特定多数の人が利用する電車や映画館、デパートなど。
そこで火災に見舞われたらどうすればよいのか。
まずは落ち着いて状況判断をすることが大切だ。**

公共空間ではまず最初に、どこに非常口と避難先があるかを確認しておくべきだ。そして万一のときは、自分勝手な行動を慎み、係員の指示に従うこと。電車では、感電したり、ほかの電車にひかれる恐れがあるから、むやみに非常コックを操作したり、窓を開けて外に飛び出してはいけない。老人や子供、妊婦や障害者に手助けをすることを忘れないようにしたい。

指示を待つだけでなく積極的に動くこともときには必要だ。車内にある消火器を素早く見つけ、火元を狙って消火を心掛けたい。デパートでは、ショーウインドーやガラス製の商品棚などから離れ、身の安全を確保すべきだ。火や地震のショックによりガラスが飛散する恐れがあるから、割れやすいものがあるところから距離を置くこと。離れる際にもバッグやカバンで頭部を守ることを忘れないように。

映画館では、出入口に座席が近ければ迷わず逃げ出そう。しかし距離があるときには、あわてて非常口、出入口などに殺到せずに、落ち着いて館内放送や管理者の指示に従って行動をすべきだ。パニックによって圧死したら元も子もない。

レストランや飲食店には身の回りを見渡せば案外使えるものが多い。お冷ややビールやジュースなど、とっさの消火器具として転用できる。またおしぼりは湿っているのでそのままマスクになる。鼻や口に当てて逃げ出そう。言うまでもないが、危険物を持ち込まないこと。そして吸ったタバコは責任を持って処理することだ。

地下街で火災
もし停電になっても、避難口は60m間隔であるのであわてずに壁に右手を添えてゆっくり移動する。地上からは日の光が差し込んでいたらそれを頼りに逃げる

►►► 外出中にグラッときたら P.42

電車・映画館で火災に遭ったら

生活再建に備えて

被災後の生活再建はまさに死活問題だ。基本姿勢として少額でももらえるものはもらい、利用できる制度は利用したほうが賢明である。万が一、大黒柱を失えば家族は明日の生活にも困ることになる。

見舞金は自治体によって異なるが、通常の火事では一戸建てが全焼しても4〜8万円ほどもらえる。災害救助法が適用されると、弔慰金は世帯主の死亡で500万円、世帯主以外の家族で250万円、世帯主の重度後遺障害は250万円、世帯主以外では125万円が支給されることになっている。

この見舞金、弔慰金の申し込みには、火災による被害を受けたことを証明する「り災証明書」と医師が作成した診断書、申込書が必要だ。り災証明書は、原則、被害から1週間以内に消防署へ「り災証明願」を提出すると発行してもらえる。り災証明書と申込書を持って市町村へ提出すると見舞金や弔慰金が支払われる。

また、紙幣は3分の2以上が焼け残っていれば全額を換金できる。紙幣が全部燃えてしまっても、紙幣の灰がそのまま残っていれば換金してもらえる。かなり難しいが、ヘラやフライ返しですくってタッパなどに入れ、金融機関へ持っていくこと。硬貨は硬貨であることが確認できる状態であれば換えてもらえる。

健康保険証を焼失したら国民健康保険は管轄の市町村へ、社会保険なら会社か社会保険事務所に再発行の相談を行なう。保険証番号がわかればスムーズに進む。パスポートは、り災証明書を添えて、住民票、写真を2枚、官製ハガキ、印鑑、運転免許などの身元確認できるものを添えて旅券申請所へ提出すれば再発行してもらえる。

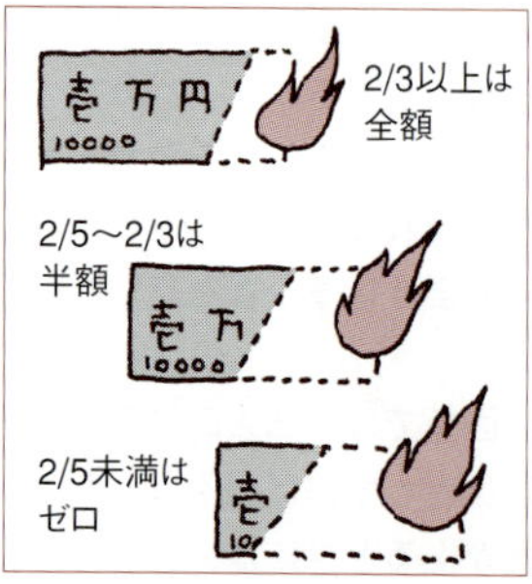

第4章
火山

なぜ火山は噴火するのか?

地下のマグマが地表に噴出してできた地形的な高まりが火山だ。火山列島の異名があるように、日本には活発に活動を続ける火山が多数ある。では、なぜ火山は噴火するのだろうか。

地震同様、火山の噴火は地球のプレート運動が要因となって起こると考えられている。第1章でも述べたように、地球は内核、外核、マントルという非常に高温の物質によってつくられており、そのマントル内で発生したマグマ(高温で溶けた岩石質物体)が海嶺《かいれい》(海底の山脈)で湧き出してプレートをつくる。この海のプレートは、陸のプレートと比べると重いため、両者がぶつかり合う境界では海のプレートが陸のプレートの下へ沈み込む。このように地球の表層は十数枚のプレートに分かれていて、一方が沈み込んだり互いに衝突し合ったりしている。これをプレート運動と呼んでいる。

さて、海のプレートが陸のプレートの下へ沈み込むと、海のプレートから水などが染み出し、それが周囲のマントルを溶かしてマグマを発生させる。マントルより軽いマグマは上昇していったんマグマだまりに蓄えられるが、その中でガスが膨張するなどして爆発が起こると、マグマが地表に噴き出して火山となる。海のプレートと陸のプレートがぶつかり合う海溝《かいこう》(海底の谷。浅いものはトラフと呼ぶ)と平行して火山が分布している

火山のしくみ

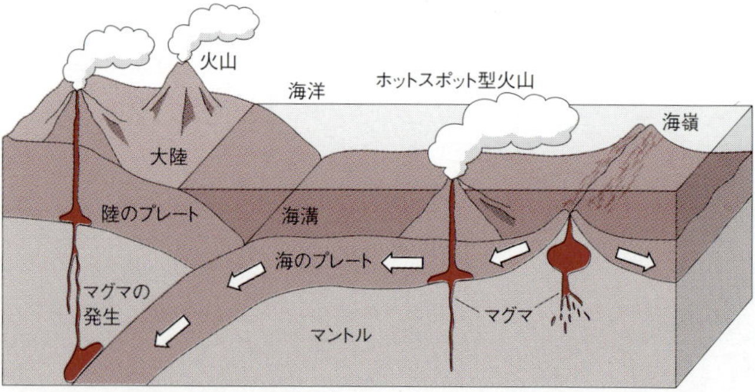

▶▶▶ なぜ地震は起こるのか? P.10

のはこのためで、日本の場合、「火山フロント」と呼ばれるライン(火山が密集している最も海溝側の線)の西側に火山は分布している。

一方、プレートがぶつかり合うところ以外でも、プレートよりもっと深いところにあるマントル内でマグマが発生し、それが上昇して火山となる場合もある。ハワイ諸島のキラウエア火山に代表されるこのような火山を、「ホットスポット型」火山と呼ぶ。

なお、火山の噴火にはいくつかのタイプがあるが、最もポピュラーなのが、マグマそのものが地表に噴出するマグマ噴火。噴出したマグマが地表に流れ出たものを溶岩といい、粘性の高いマグマが流れ出ずに火口付近に盛り上がってドーム状になったものを溶岩ドームと呼ぶ。一方、地下水が熱せられることによって起こる爆発的な噴火が水蒸気噴火。地下水や海水がマグマと直接接触して起こるものをマグマ水蒸気噴火と呼んでいる。

火山フロントと活火山の分布

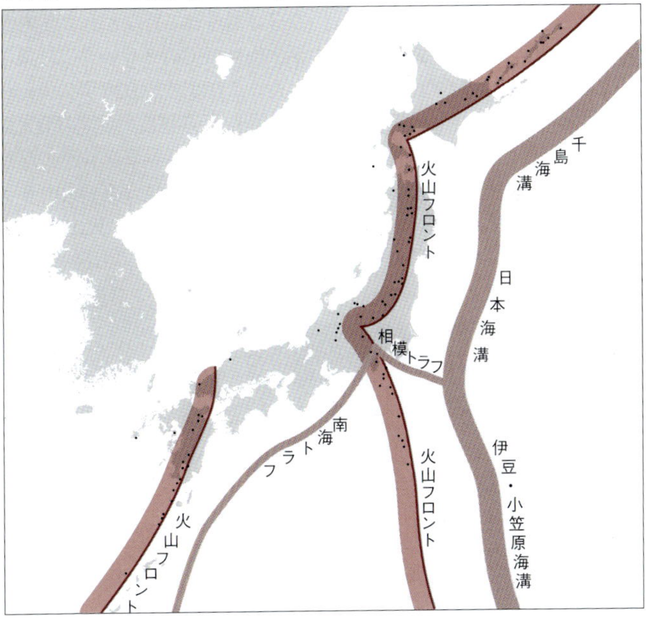

噴火の危険がある火山は？

火山はその長い寿命のなかで活動期と休止期を繰り返し、活動期の噴火のパターンは火山によってそれぞれ違う。現在、国内の活火山の数は108。そのなかでも活発に活動している火山は20ある。

日本の火山の寿命は数千年〜数十万年といわれている。この長い活動期の間には、活発に噴火を繰り返す時期と、まったく噴火をしない休止期がある。休止期はだいたい数十年から数千年。短いサイクルで噴火を繰り返している火山もあれば、数百年に１度大噴火をする火山もあり、噴火のパターンは火山によって大きく異なる。たとえ1000年以上噴火していない火山があったとしても、活動が衰えたと断言することはできないのである。

かつて、長い期間噴火をしていない火山を「死火山」または「休火山」と呼んでいたが、これらの言葉は「もう噴火しない」という誤解を生みやすいため、現在では使われていない。ただし「活火山」という言葉は健在で、2003年1月、火山噴火予知連絡会は、活火山の定義を「おおむね過去１万年以内に噴火した火山および現在活発な噴気活動のある火山」と変更した。これにより、日本の活火山の数は108になった（106ページ参照）。

また、過去の活動度によるランク分けも併せて行なわれ、国内の活火山はABCの３ランクに分類された。これは過去100年間の火山観測と過去1万年程度の期間の噴火実績を合わせて活動度を判断したもので、活動度が特に高い火山をランクA、活動度が高い火山をランクB、活動度の低い火山をランクCとしている。ランクAは十勝岳、

1707年の大噴火以来、沈黙し続けてきた富士山だが、近年は低周波地震が頻繁に観測されている

▶▶▶ 過去の主な火山噴火による災害 P.114

樽前山、有珠山、北海道駒ヶ岳、浅間山、伊豆大島、三宅島、伊豆鳥島、阿蘇山、雲仙岳、桜島、薩摩硫黄島、諏訪之瀬島の13火山。ランクBには36火山あり、雌阿寒岳、富士山、霧島山など。ランクCは大雪山、乗鞍岳、開聞岳などの36火山だ。ただし、データが不足している海底火山や北方領土の23火山は対象外とされている。

現在、気象庁や各研究機関は、火山噴火による被害を防止・軽減させるため、国内の火山の周辺に地震計や傾斜計や監視カメラなどを設置して火山活動を観察し、噴火の予知に役立てようとしている。たとえば気象庁は、活動が活発な国内20の活火山を常時観測火山に指定し、24時間体制での観測を実施。2003年11月からは、そのなかでも特に活動が活発な5つの火山(浅間山、伊豆大島、阿蘇山、雲仙岳、桜島)について、火山活動の程度と防災対応の必要性を0〜5の6段階の数値で表す火山活動度レベルの提供を開始した。この火山活動度レベルの最新情報は、火山の活動状況に変化があったときに発表される火山情報のなかで伝えられるほか、気象庁のホームページ(http://www.jma.go.jp)でも見ることができる。

なお、気象庁は前記5つ以外の常時観測火山についても、火山活動度レベルの提供を順次、導入していく予定でいる。

この常時観測火山と火山活動度レベルは、火山噴火の危険度を測る大きな目安になるので、気象庁が発表する情報は注意深くチェックしたい。

火山活動度レベルの区分け
(浅間山、伊豆大島、阿蘇山、雲仙岳、桜島の5火山が対象)

レベル5	きわめて大規模な噴火活動等。広域で警戒が必要
レベル4	中〜大規模噴火活動等。火口から離れた地域にも影響の可能性があり、警戒が必要
レベル3	小〜中規模噴火活動等。火山活動に充分注意する必要がある
レベル2	やや活発な火山活動。火山活動の状態を見守っていく必要がある
レベル1	静穏な火山活動。噴火の兆候はない
レベル0	長期間火山の活動の兆候がない

日本の活火山108

火山噴火予知連絡会は2003年1月に
活火山の定義を変更し、国内の活火山の数を108とした。
それを図示したのがこのマップだ。

＊太字で示した火山は「**常時観測火山**」です。

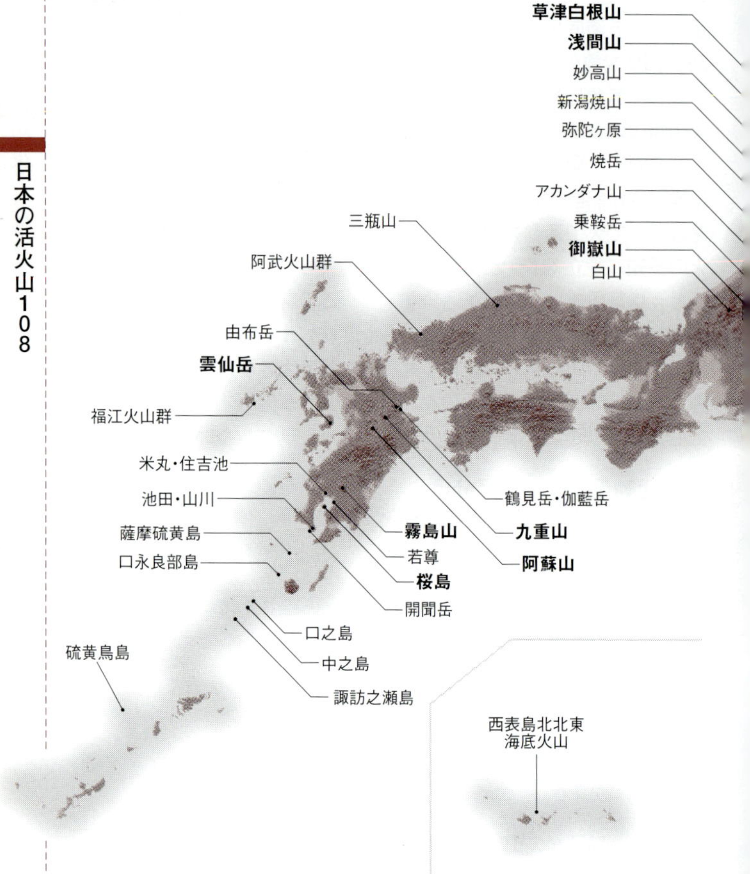

［下鶴大輔監修『火山に強くなる本』より］

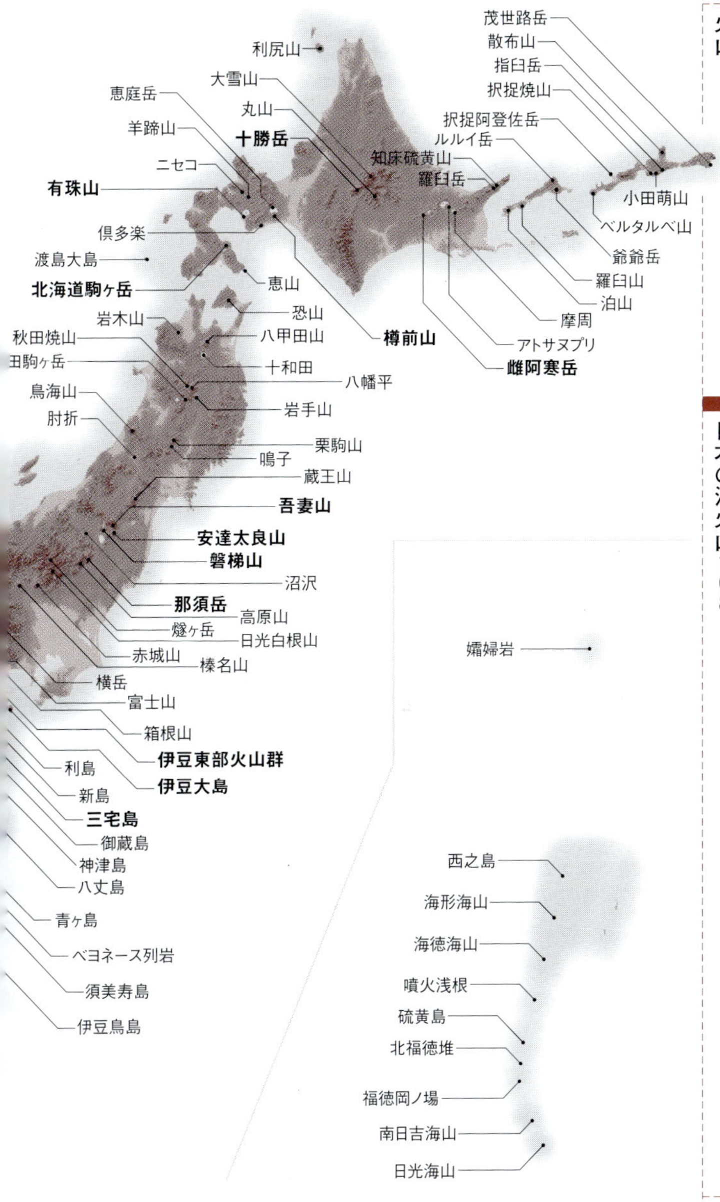
利尻山
大雪山
恵庭岳
丸山
羊蹄山
十勝岳
ニセコ
有珠山
倶多楽
渡島大島
北海道駒ヶ岳
恵山
樽前山
茂世路岳
散布山
指臼岳
択捉焼山
択捉阿登佐岳
ルルイ岳
知床硫黄山
羅臼岳
小田萌山
ベルタルベ山
爺爺岳
羅臼山
泊山
摩周
アトサヌプリ
雌阿寒岳
岩木山
恐山
秋田焼山
八甲田山
田駒ヶ岳
十和田
八幡平
鳥海山
岩手山
肘折
栗駒山
鳴子
蔵王山
吾妻山
安達太良山
磐梯山
沼沢
那須岳
高原山
燧ヶ岳
日光白根山
赤城山
榛名山
横岳
富士山
箱根山
伊豆東部火山群
伊豆大島
利島
新島
三宅島
御蔵島
神津島
八丈島
青ヶ島
ベヨネース列岩
須美寿島
伊豆鳥島
孀婦岩
西之島
海形海山
海徳海山
噴火浅根
硫黄島
北福徳堆
福徳岡ノ場
南日吉海山
日光海山

火山の噴火がもたらす被害

火山の噴火では、マグマだけではなく火山灰や岩石や火山ガスなども同時に放出される。それらは非常に高温で、大量に放出されると、周辺地域に大きなダメージを与える。
噴火に伴う危険現象にはいくつかパターンがある。

①降下火砕物

噴火によって空中に放出された岩石や火山灰などを火砕物といい、直径64mm以上の火山岩塊、2～64mmの火山礫《れき》、2mm以下の火山灰に分類されている。火山岩塊や火山礫はしばしば建物を破壊し、人を直撃すれば命をも奪う。火山灰は農作物を枯らし、交通をまひさせるなど、広範囲にわたってさまざまな被害をもたらす。火砕物が地表に降る範囲は噴火の規模や風向きにもよるが、大きな火山岩塊はほとんど火口から2km以内に落ちる。また、火山灰は風に乗ってはるか遠方にまで飛ぶこともある

②火砕流

高温の溶岩片や火山灰、火山ガスなどが空気と混じり合って、それが高速で斜面を流れ下る現象が火砕流で、かつては熱雲と呼ばれていた。火砕流は、時速100kmというスピードで斜面を駆け下りる。しかもその温度は数百度にも達するうえ、広範囲に広がるため、一瞬のうちに集落や山林や農地を焼き尽くしてしまう。1991年の雲仙岳の噴火では火砕流が発生し、43人もの死者が出た

③火砕サージ

溶岩片が少なく、火山灰などが混じった高温・高速の砂嵐のような現象を火砕サージという。火砕サージは火砕流の周辺にでき、火砕流本体よりも速く広範囲に広がるため、まずこれに襲われる。火砕サージが単独に発生することもある

④火山ガス

火山の噴火口や噴気孔から放出されるガスで、活発に活動している火山では噴火時のみならず普段から火山ガスを放出している。火山ガスの成分はほとんどが水蒸気だが、硫化水素、二酸化硫黄、二酸化炭素などの有毒成分が含まれていることもあり、これらを吸い込むと非常に危険な事態に陥ってしまう

⑦地盤の変形

マグマの上昇によって地殻が変動すると地盤が大きく変形し、建造物がゆがんだり破壊されたりしてしまう

⑧空振

噴火によって起こる空気の震えは空振《くうしん》と呼ばれ、ときに窓ガラスなどが割れることもある

▶▶▶ 地震で想定される被害 P.22

⑤火山泥流、土石流

火山灰が降り積もったところに雨が降ったり、積雪期に火砕流が氷雪を溶かしたりすると、火山の噴出物や土石などと混じって大きな泥や土砂の流れとなる。これが火山泥流または土石流だ。火山泥流・土石流は時速30〜40km程度の速さで押し寄せ、農地や集落を泥流で埋め、建造物を破壊する。1990年以降の雲仙岳の噴火では土石流がたびたび発生して大きな被害を出している

⑥溶岩流

地上に噴出したマグマを溶岩といい、溶岩が火口から流れ出てくる現象を溶岩流と呼ぶ。日本の溶岩流の速度は時速1kmほどとけっして早くはないので、これに巻き込まれて命を落とすことはまずないが、噴出直後の温度は約1000度もあり、溶岩流に触れた植生や家屋などはすべて焼かれてしまう。また、溶岩は冷えると固まって岩となるため、溶岩流が通った道路や農地などは固まった溶岩に埋められてしまうことになる

⑨岩屑なだれ、津波

噴火によって火山の斜面の一部が大規模に崩落すると岩屑《がんせつ》なだれが発生する。この岩屑なだれが海や湖にまで達すると、津波が発生することもある

火山の噴火に備える

火山の噴火は必ずしも予知できるものではなく、突発的に起こることもある。火山の周辺で生活する人々は、噴火に備えて常に対策をとっておく必要がある。

国内の活火山、特に常時観測火山の周辺地域では自治体などの関係機関が噴火を想定した対策をとっているが、万一に備えた個人レベルでの対策も必要だ。

ハザードマップを入手する

活火山を抱える地方自治体や防災機関では、それぞれ独自にハザードマップを作製しているところが多い。ハザードマップには、噴火時の溶岩流や火砕流、噴石、降灰、火山泥流などの予想危険エリアがしるされている。あらかじめ、自分の家や職場でどんな被害が想定されるのかを知るとともに、避難経路や避難先をしっかり把握しておこう。

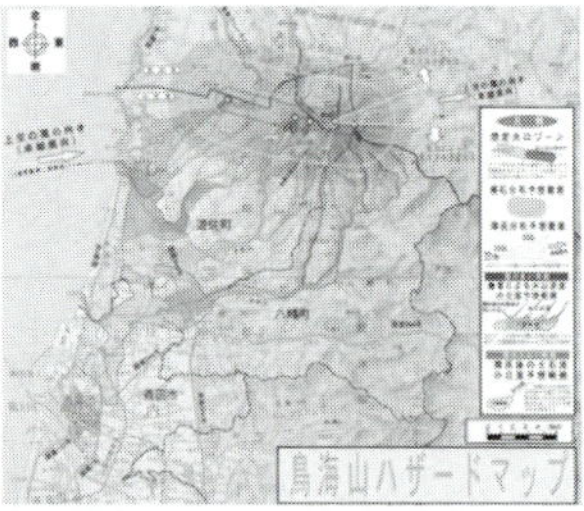

自分が住んでいるエリアのハザードマップを入手しておこう。これは鳥海山のハザードマップ

避難路を検討するときには、土石流や火山泥流や土砂崩れの恐れのある崖のそば、川の近くなどはできるだけ通らない、危険度の少ないルートを策定すること。

ハザードマップは各地元の市役所や町村役場などで入手できる。また、インターネットで見られるところもある。

連絡網などを確認する

万一火山が噴火したとき、仕事や学校などで家族全員が家にそろっているとは限らない。そんなときお互いに連絡がつかないと、混乱するだけではなくだれかが危険な目に陥ってしまうことも考えられる。そこで緊急時の連絡網をどうするか、連絡がつかないときにはどこに避難するかなどについて、日ごろから家族で話し合っておく必要がある。

非常用バッグを用意する

火山の噴火に備えた非常用バッグに欠かせないのは、避難時に降下火砕物から身を守るためのヘルメット、ゴーグル、マスクの3点

►►► 非常用バッグの用意 P.28

セットだ。そのほかは一般的な非常用バッグと同じでいい。

火山情報をチェックする

気象庁は、火山活動の異常を早期に検知し、火山情報を迅速に発表するため、全国4カ所(札幌、仙台、東京、福岡)に火山監視・情報センターを置き、全国の活火山の活動を24時間体制で監視している。火山活動の状況に変化があると、ただちに火山情報が発表される。火山情報は緊急火山情報、臨時火山情報、火山観測情報の3種だが、特に緊急火山情報や臨時火山情報が出されたときには注意しなければならない。状況によっては避難の準備を進めておこう。

また、気象庁のホームページでは火山活動度レベルや現地からの監視カメラ画像、週間の火山概況など、最新の火山情報が随時更新されているので、こちらもマメにチェックしておきたい。

有珠山(月浦からの映像)

気象庁のホームページでは、最新の火山活動度レベルの情報が見られる
http://www.seisvol.kishou.go.jp/tokyo/volcano.html

気象庁が発表する火山情報

火山情報の種類	内　容
緊急火山情報	火山現象による災害から人の生命および身体を保護するため必要があると認める場合に発表
臨時火山情報	火山現象による災害について防災上の注意を喚起するため必要があると認める場合に発表
火山観測情報	緊急火山情報または臨時火山情報の補完その他火山活動の状態の変化等を周知する必要があると認める場合に発表

火山が噴火したら

もし火山が噴火したときには、まずはテレビやラジオや防災無線などで緊急火山情報を確認しよう。ひっ迫した状況になったらすぐに避難できるよう準備を整え、自治体や消防の指示に従うようにしよう。

専門機関や研究者らによる火山の観測・研究は日進月歩である。今日では、ある程度までは噴火の兆しをとらえることが可能となり、まったくノーマークの火山がなんの前兆もなく突然噴火することなどはまず考えられない。少なくともなんらかの予兆があり、警戒しているなかで噴火が起こるというのが近年のケースである。

だが問題は、それがいつ起こるかだ。その火山がいつ噴火するのかを正確にピタリと予測するのは、まだまだ難しいといわざるをえない。

気象庁が噴火の危険をいち早く察知して情報を流し、各自治体が避難勧告や避難指示を出した場合は、それに従えばいいのだから、話は簡単である。

通常、避難勧告や指示は地域の屋外スピーカーや広報車などを通して自治体から流される。避難勧告・避難指示が出されたら、指定された避難場所に速やかに避難しよう。避難勧告は強制ではないが、従うべきである。避難の準備は、あわてずに落ち着いて行なうこと。

避難するときには電気のブレーカーを切り、ガスの元栓をしっかり閉め、戸締まりをしてから家を出る。その際には、緊急連絡用のため、名前と避難先と連絡方法(携帯電話の番号など)を記した避難カードを玄関などに貼っておこう。

避難時の服装は、熱風や降下火砕物から身を守るためにできるだけ肌の露出が少ないものを。基本は長袖長ズボンで、いちばん上にジャンパーなどの上着を着込む。噴石に備えて頭には必ずヘルメットをかぶり、火山灰が目や口に入らないようにゴーグルとマスクも装着する。マスクがなければぬらしたハンカチなどで代用する。場合によっては火山灰の上や泥水の中などを歩かなければならなくなるので、靴は頑丈で歩きやすいものを履こう。

避難場所への移動は単独で行なわず、隣近所と声をかけ合ってできるだけ団体で行動する。避難経路に自治体や消防署の誘導員がいるのなら、その指示に従おう。地

►►► 避難する P.50

域にもよるが、車での避難は渋滞に巻き込まれると身動きできなくなるうえ、徒歩で避難する人のじゃまになるので、なるべくなら避けることだ。

では、気象庁が「緊急火山情報」を出す間もなく、予想外の噴火が始まってしまったときはどうすればいいのか。こうした場合、行政側の対応は後手後手に回ることが多いので、自分で判断して行動しなければならない。特に噴火場所が近いときには避難勧告や指示などを待っている時間などない。火砕サージや火砕流、土石流は猛スピードで襲いかかってくる。悪天候のときだったら火山泥流が起こる危険も高い。これらは下へ下へと向かってくるので、一刻も早く安全な高台へと避難することだ。歩いていては手遅れになる。

避難経路は、ハザードマップに示されている火砕流などの予想進路を避け、谷沿いではなくできる限り尾根筋をとるようにする。避難場所は標高が高ければ高いほうがいい。風下側は火山降下物の被害を受けやすいので、なるべく風上側へ逃げよう。

多少場所が離れている場合でも、噴火地点や噴火規模によっては火砕流が襲ってこないとも限らない。やはり迅速に高台へ避難しよう。

避難は長期化することがあるし、建物が被災して二度と帰れないこともある。預金通帳、印鑑、保険証や貴重品は持ち出した方がよい。

とはいえ、こうした突然の噴火では、とにかく命が助かることを最優先させるべきだ。貴重品や食料や水などがすぐ持ち出せるようになっているのならともかく、噴火が起こってから準備していたのでは遅い。体ひとつで逃げ出し、助かってから後のことを考えればいいのである。

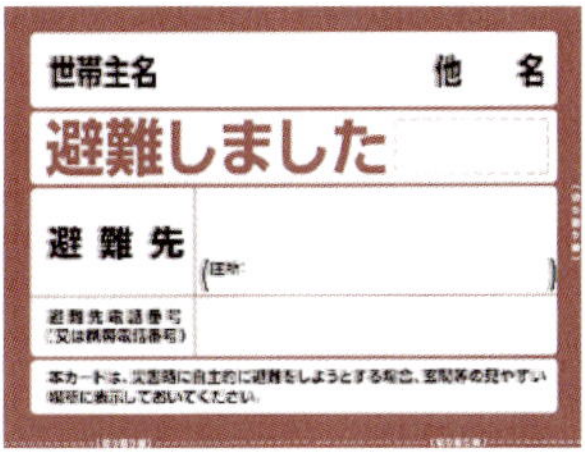

避難時には避難カードを玄関などに貼ってから家を離れよう（駒ヶ岳火山防災ハンドブックより）

降下火砕物から身を守れる服装で避難しよう

過去の主な火山噴火による災害

噴火年月日	火山名	概　要
1410.3.5	那須岳	噴石や埋没により死者約180人
1640.7.31	北海道駒ヶ岳	岩屑なだれに伴う津波により死者約700人
1707	富士山	江戸にも大量の火山灰が降る
1716.11.9	霧島山	数カ所から噴火。神社・仏閣焼失。5人死亡
1721.6.22	浅間山	噴石により15人死亡
1741.8.29	渡島大島	岩屑なだれに伴う津波により死者約1475人
1779.11.8〜9	桜島	溶岩流、噴石により死者153人
1781.4.11	桜島	海底噴火。津波により死者8人、行方不明7人
1783.8.4	浅間山	火砕流・溶岩流・火山泥流。死者1151人
1785.4.18	青ヶ島	死者130〜140人。島民は八丈島に避難
1792.5.21	雲仙岳	岩屑なだれと津波により死者約1.5万人
1801.8.10	鳥海山	噴石により登山者8人死亡
1822.3.23	有珠山	火砕流により旧虻田集落全滅。死者103人
1856.9.25	北海道駒ヶ岳	1村落焼死。火砕流により死者約20人
1888.7.15	磐梯山	岩屑なだれにより死者461人
1900.7.17	安達太良山	火口の硫黄鉱山施設などに被害。死者72人
1902.8.7	伊豆鳥島	中央火口丘爆砕。全島民125人死亡
1914.1.12	桜島	溶岩流出、村落埋没、焼失。死者58人
1926.5.24	十勝岳	大泥流発生。2村落埋没。死者144人
1929.6.17	北海道駒ヶ岳	火砕流により2人死亡
1930.8.20	浅間山	噴石により6人死亡
1933.12.24	口永良部島	七釜集落全焼。8人死亡
1940.7.12	三宅島	火山弾、溶岩流出。死者11人
1947.8.14	浅間山	噴石により死者11人
1952.9.24	ベヨネーズ列岩	海底噴火。火砕サージにより観測船遭難
1958.6.24	阿蘇山	噴石により死者12人
1962.6	十勝岳	死者4人、行方不明1人
1974.6.17、8.9	桜島	土石流で死者計8人
1974.7.28	新潟焼山	噴石により死者3人
1977.8〜1987.10	有珠山	泥流、降灰砂、地盤変動。死者2人、行方不明1人
1979.6〜7	阿蘇山	死者3人、負傷者11人
1979.10.28	木曽御岳	水蒸気爆発
1983.10.3	三宅島	溶岩流出、阿古地区家屋焼失・埋没394棟
1986.11.15〜	伊豆大島	12年ぶりに噴火。全島民等約1万人が島外避難
1990.11.17〜	雲仙岳	火砕流により死者・行方不明者44人、負傷者12人。住民一時避難
1997.8.16	秋田焼山	火山ガスにより登山客4人死亡
1997.9.15	安達太良山	火山ガスにより1人死亡、1人重体
2000.3.31〜	有珠山	23年ぶりに噴火。約1万6000人が避難
2000.7.8〜	三宅島	泥流、降灰。全島民約4000人が9月4日に避難

*国土交通省砂防部のホームページ（SABO）および『火山に強くなる本』（山と溪谷社）の資料等を引用して作成。

第5章

台風

台風のメカニズム

毎年のように日本に襲来する台風は、熱帯低気圧が発達して巨大な空気の渦巻きとなったもの。その成り立ちから終焉までは、発生期、成長期、最盛期、衰弱期の4段階に分けられる。

発生期。熱帯低気圧が発達して台風となる。渦巻き状の雲が一目瞭然

成長期。中心気圧が下がり、雲塊も大きくなっている。中心には台風の目ができている

衰弱期。勢力が徐々に衰え、温帯低気圧に変わる。雲塊の円形が崩れかけている

熱帯地方の海上で生まれる低気圧を「熱帯低気圧」という。この熱帯低気圧が日付変更線より西の太平洋または南シナ海上で発達し、中心付近の最大風速が毎秒17mを超えたものを「台風」と呼んでいる。ちなみに日付変更線よりも東では「ハリケーン」、インド洋で発生したものは「サイクロン」と呼ばれている。

ひとことでいうのなら、台風は巨大な空気の渦巻きである。熱帯の海上で発生した上昇気流は積乱雲となり、それがたくさん集まって渦を形成し、その中心付近の気圧が下がって台風となる。これが台風の発生期で、その後、暖かい海面から上昇してくる水蒸気をエネルギー源として発達していく成長期に入る。そして台風の勢力が最も強まるのが最盛期。激しい風雨に見舞われる暴風圏が広がり、ときに大きな被害をもたらすのがこの期間だ。以降、勢力が徐々に衰える衰弱期を迎え、まもなく「温帯低気圧」に変わって消滅する。これは北上するに従い海水温度や気温が下がり、エネルギーである水

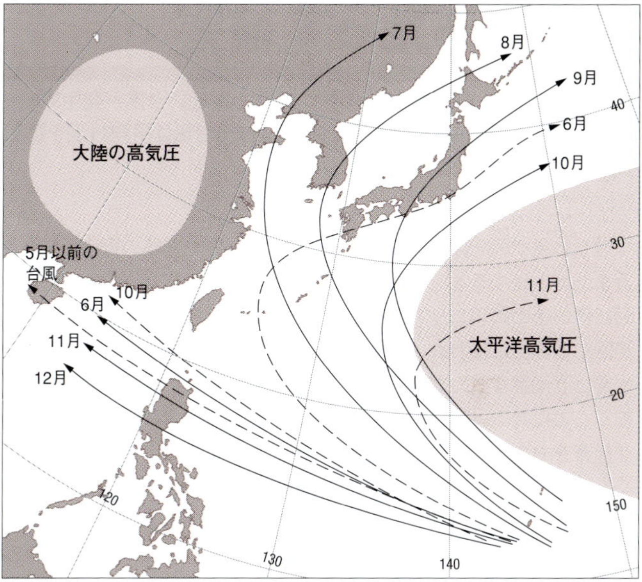

台風の主な進路

蒸気の供給が得られなくなるためだ。日本に来る台風は、最盛期か衰弱期のものがほとんどである。

もともと台風は地球の自転の影響を受けて北に向かう性質がある。と同時に、上空の風に乗っても移動する。このため太平洋上で発生した台風は、まず東から西に向かって吹く偏東風(貿易風)に流されてゆっくりと北西に移動し、中・高緯度まで来ると今度は西から東へ向かう偏西風に乗って速いスピードで北東へ進むようになる。夏から秋にかけて日本を襲う台風が多くなるのは、太平洋高気圧の縁を沿うようにして移動することによる。上の図は月別の台風の主な進路を示したものだが、なかには行きつ戻りつしたり突然進路を変えたりする「迷走台風」もある。迷走台風は進路の予測が難しく、さらに1カ所に長時間とどまったりするので、大きな被害を出すことがある。

なお、気象庁は例年いちばん早く発生した台風を第1号とし、以降、発生した順番に番号をつけている。また、これとは別に国際向けの気象通報用に英語名もつけられていたが、2000年からはアジア名がつけられるようになっている。

台風がもたらす被害

年によってばらつきはあるが、1年間には約30個近い台風が発生する。そのうち日本に上陸するのが平均3個、接近する台風は平均11個を数え、各地に大きな被害をもたらしている。

激しい風や雨を伴う台風が接近または上陸すると、台風の移動に伴いその周辺エリアは広い範囲で暴風圏に覆われ、風害、水害、高潮害などのダメージを被ることになる。過去には大きな被害をもたらした台風が数多くあったが、近年は治水事業や防災体制が整備されたこと、気象観測や台風予報の精度も向上したことなどから、昔のように死者・行方不明者が数千人にも上るほどの被害は出ていない。それでも数人〜数十人の犠牲者が出ることは今も珍しくなく、家屋の損壊や浸水、停電、農作物へのダメージなどは台風のたびに報告されている。

大雨による被害

発達した積乱雲が集まっている台風には通常、大雨が伴い、台風の周りを取り巻くようにして連続的に激しい雨を降らせている。台風による雨は、短期間のうちに大量の雨を降らせる集中豪雨のようなものなので、河川の氾濫《はんらん》、橋の流失、家屋への浸水、耕地や道路の冠水、道路の損壊、山・崖崩れ、土石流の発生など、さまざまな水害をもたらす。ことに日本列島付近に停滞前線があると、台風の影響で前線の活動が活発化し、数日間のうちに記録的な大雨を降らせる。例を出せば、1982年8月の台風第10号(死者・行方不明者95人、負傷者174人、損壊家屋5312戸、浸水家屋11万3902戸)、1983年9月の台風第10号(死者・行方不明者44人、負傷者118人、損壊家屋640戸、浸水家屋5万6267戸)、1990年9月の台風第19号(死者・行方不明者40人、負傷者131人、損壊家屋1万6541戸、浸水家屋1万8183戸)、1999年9月の台風第18号(死者・行方不明者36人、負傷者1077人、損壊家屋4万7150戸、浸水家屋2万3218戸)などがこのパターンに当たる。

また、野外でのレクリエーション時の被害もたびたびあり、たとえば1982年8月には、台風第10号の影響による鉄砲水で登山者7人が黒部川で遭難している。近年の例では、台風の事例ではないものの、1999年8月、熱帯低気圧の通

►►► 大きな被害をもたらした主な台風 P.128

過に伴う激しい雨により丹沢の玄倉川が増水し、中州に取り残されたキャンパー13人が濁流にのまれて死亡するという事故も起こっている。このように、雨による大きな被害をもたらす台風を「雨台風」と呼んでいる。

強風による被害

雨とともに台風がもたらすもうひとつの自然現象が強風。台風が発生すると、その目を中心にして広い範囲で強風が吹き、最大風速(10分間平均風速の最大値)が秒速30m以上、最大瞬間風速(瞬間風速の最大値)は秒速50mを超えることも珍しくない。これに雨が伴って暴風雨となれば、より大きな被害を出すことになる。台風の強風は、家屋や樹木や電柱の倒壊、電線等の切断、列車や車の転覆などを引き起こす。強風に飛ばされた看板や標識などに当たってケガをするケースも多い。また、ビルの谷間や橋の上、トンネルの出口、尾根上、谷筋、入り江や岬、海峡など、地形の影響を受けてさらに強い風が吹く場所もある。主に風による被害が多発する台風を、雨台風に対して「風台風」と呼んでいる。

風台風としては1934年9月の室戸台風がよく知られている。高知県室戸岬付近に上陸後に、世界気象観測始まって以来の最低気圧911.6hPa(ヘクトパスカル)を記録。全国で死者・行方不明者3036人、負傷者1万4994人、損壊家屋9万2740戸、浸水家屋40万1157戸という大被害をもたらした。1991年の台風第19号のときも全国的に秒速20mの強風が吹き荒れ、多くの死者・負傷者が出た(死者・行方不明者62人、負傷者1499人、損壊家屋17万447戸、浸水家屋2万2965戸)。

高潮・高波による被害

気圧が1hPa低くなると海面は約1cm上昇するので、台風時にはおのずと海面が高くなっている。しかも、台風による強風が沖合から沿岸部に向かって吹くと、海水が吹き寄せられて沿岸部の海面がより高くなる。このようにして海面が異常に高くなる現象が高潮だ。さらには強風によって高波も生じるため、海岸沿いの地域では、堤防の決壊、家屋などへの浸水、船舶の損傷などの被害が出る。1959年9月の伊勢湾台風のときには、名古屋市から四日市市にかけての沿岸部に高さ4m以上の高潮が押し寄せて大きな被害を出した。また、前出の1999年9月の台風第18号のときにも熊本県不知火町で高潮が発生し、12人が死亡している。特に潮位が最も高くなる大潮の満潮時に台風が接近すると、被害が大きくなる。

台風情報の読み方

台風は、発生から接近してくるまでにある程度の時間がかかるので、その間には詳しい台風情報が発表される。台風の被害を最小限に食い止めるには、その情報をよく読み解く必要がある。

台風が発生して日本に接近してくると、気象庁予報部をはじめ各地の地方気象台、テレビやラジオや新聞などが台風情報を発表する。台風情報に盛り込まれているのは、台風の規模や予想進路、風の強さや雨量の予想など。これらの情報をよく分析して危険度の有無や高低を判断し、それ相応の対策をとれば被害を最小限に食い止めることができる。台風情報には全国版と地方版があり、また数時間おきに更新されるので、常に自分が今いる場所の最新情報を入手するようにしたい。最新の台風情報は気象庁などのホームページ(気象庁 http://www.jma.go.jp/)にも随時示されるので、パソコンが使える環境ならば積極的に活用するといい。

次に、台風情報を読むときのポイントを簡単に解説しておく。

台風の規模に対する警戒

台風の規模(勢力)は、「大きさ」と「強さ」で表される。「大きさ」は強風域(平均風速毎秒15m以上の強い風が吹いている範囲)の半径、「強さ」は最大風速を指す。それぞれの階級分けは下の表のとおり。台風予報では、このふたつを組み合わせて、たとえば「大型で非常に強い台風」というように台風の規模を表している。なお、強風域内で平均風速毎秒25m以上の風

(表1) **大きさの階級分け**

階　級	風速毎秒15m以上の半径
大型(大きい)	500km以上～800km未満
超大型(非常に大きい)	800km以上

(表2) **強さの階級分け**

階　級	最 大 風 速
強い	毎秒33m(64ノット)以上～44m(85ノット)未満
非常に強い	毎秒44m(85ノット)以上～54m(105ノット)未満
猛烈な	毎秒54m(105ノット)以上

が吹いている範囲を暴風域と呼ぶ。また、強風域の範囲が500km未満あるいは最大風速が毎秒33m未満の場合はあえて表現していない。

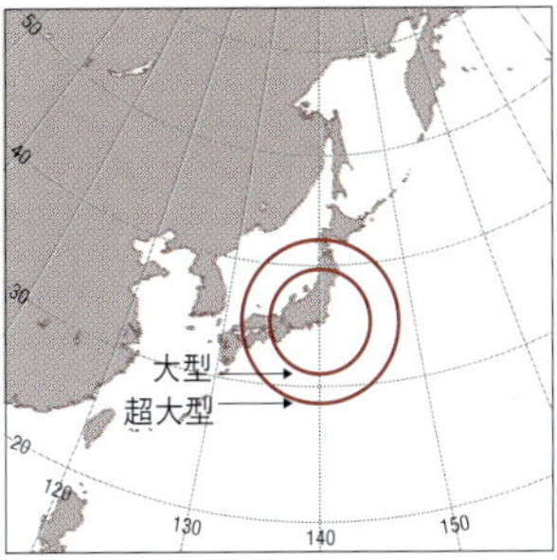

(図1) 大型、超大型の台風の大きさ

風に対する警戒

前述したとおり台風は巨大な空気の渦巻きであり、地上付近では外側から内側に向かって時計とは反対回りに強い風が吹き込んでいる。この風は、進行方向に向かって右半円では、台風自体の風と台風の進力が作用し合うため強く、逆に左半円では台風自体の風が進力と相対するので若干弱くなっている(P.122図3)。

また、天気図上の台風は幾重もの等圧線で表されているが、この等圧線は中心に近づくほど間隔が密になる(図2)。つまり中心に近いほど強い風が吹いているわけだ。

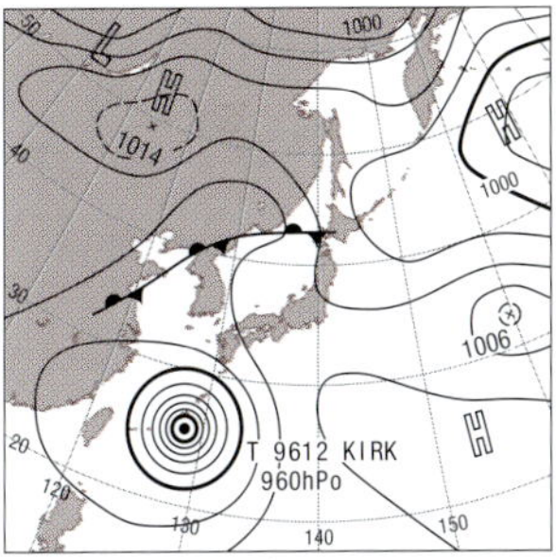

(図2) 台風時の天気図

風の強さと吹き方

やや強い風(10〜15m/s)
風に向かって歩きにくくなる。傘がさせない。樹木全体が揺れる

強い風(15〜20m/s)
風に向かって歩けない。小枝が折れ、車の運転が困難になる

非常に強い風(20〜25m/s)
しっかり体を確保しないと転倒する。運転は危険。飛散物でガラスが割れる

非常に強い風(25〜30m/s)
樹木が根こそぎ倒れる。ブロック塀が倒れ、取り付けの悪い外装材が飛ぶ

猛烈な風(30m/s〜)
特急列車並みの風。屋根が飛ばされ、木造住宅の全壊が始まる

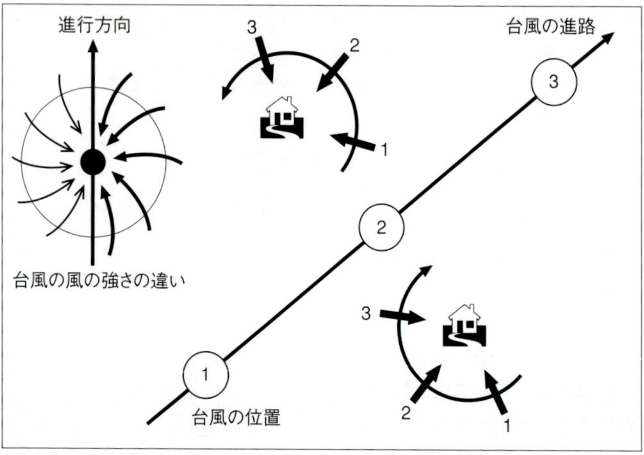

（図3）台風の位置と風向きの変化

雨の強さと降り方

やや強い雨
（10〜20mm）
ザーザー降り。地面からの跳ね返りで足元がぬれる。水たまりが一面に

強い雨
（20〜30mm）
どしゃ降り。傘をさしてもぬれる。車のワイパーを速くしても見づらい

激しい雨
（30〜50mm）
バケツをひっくり返したような雨。道路が川のようになる。山崩れ等注意

非常に激しい雨
（50〜80mm）
滝のような雨。車の運転は危険。マンホールから水が噴出する

猛烈な雨
（80mm〜）
恐怖を感じる。雨による大規模災害の恐れが強く、厳重な警戒が必要

ただし、「台風の目」と呼ばれる中心は風が弱く、目の通過地点では青空や星が見えることも珍しくない。なお、台風時の風向きは常に一定ではなく、接近してから通過していくまでに大きく変化していく。それを表したのが図3。目を中心にして、進路の右側では時計回りに、進路の左側では半時計回りに変化する。ただし、地形や建造物などの影響を受け、このようにはっきりと変化しない場合もある。

雨に対する警戒

台風の目の周りを壁のように取り囲む積乱雲の下では激しい雨が断続的に降り、さらに台風の中心から600kmの範囲内にも、強い雨を降らせる降雨帯が渦巻き状に広がっている。これらは台風自体が降らせる雨だが、たとえ台風がまだ離れた場所にあっても、日本付近に停滞前線がある場合、台風から暖かく湿った空気が運ばれてきて前線の活動を活発化させるため、大雨が降ることもある。この、台風と停滞前線の組み合わせは要注意。過去に大きな水害を出した台風の多くは、停滞前線とのペアによるものだ（図4）。

（図4）

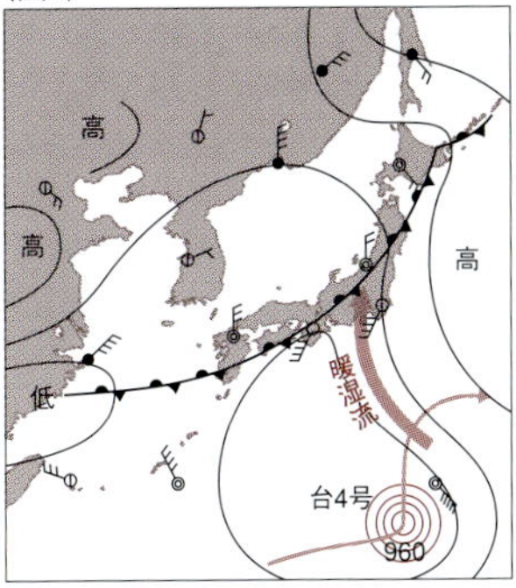

台風の進路に対する警戒

台風情報のなかでも最も気になるのが進路予報だ。図5のように、気象庁が発表する進路予報には、台風の現在地と暴風域および強風域、それに72時間先までの台風の中心の到達予想範囲が、12時間または24時間ごとに示されている。到達予想範囲を表す破線の円は「予報円」と呼ばれ、この円内に台風の中心が入る確率は70％だという。予報円の周りに実線で描かれた円は「暴風警戒域」で、台風が予報円内に進んだときに暴風域に入る可能性のある範囲を示している。ただし、暴風域や暴風警戒域を伴わない場合は予報円だけが表示される。

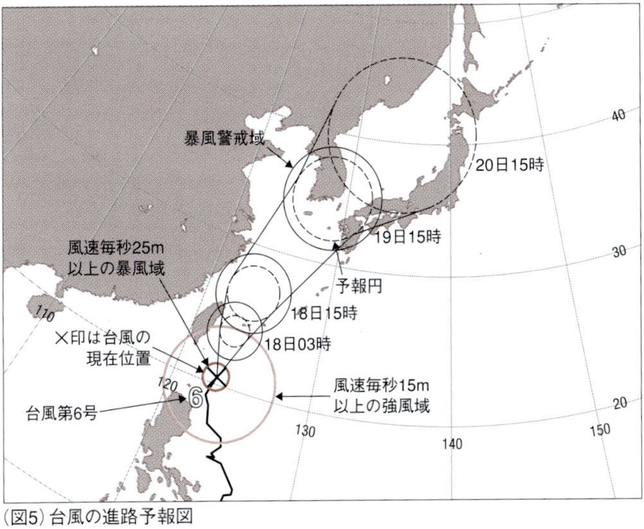

（図5）台風の進路予報図

台風に備える

台風がもたらす被害のほとんどは風害と水害である。
台風が発生したときには台風情報を逐次チェックし、もし接近・通過の可能性がある場合は自宅や職場で事前にしっかりと対策を立てておこう。

外回りを補強する

強風によって倒れたり壊れたりする恐れのあるものは、固定するなり補強するなりしておく。庭の立ち木が倒れると家屋や塀を破損させるので要注意。雨戸がない窓ガラスには、強風や飛んできたものでガラスが割れないように外側からベニヤ板などを打ちつけておこう。雨もりの原因となる屋根の瓦のズレやひび割れ、トタンのめくれ、外壁のひび割れなどを調べ、ある場合は修繕する。

基礎に不安のある小屋などはロープやワイヤーで固定し、物置のドアなどはバタつかないようにカギをかけること。船を所有しているのなら、陸地に揚げてロープで固定する。

テレビや衛星放送のアンテナなどは取り付け強度をよくチェックし、不安があるようなら支柱やロープなどを使って補強する

飛ばされそうなものをしまう

台風時には風で飛ばされたものに当たって負傷するという事故が続出する。テーブルやイス、植木鉢、ゴミ箱、自転車、物干し竿など、強風で飛ばされそうなものは庭やベランダなどに置いたままにせず屋内へ。看板などは飛ばないようにロープなどで補強しよう。

断水・停電に備える

台風はしばしば停電や断水をもたらす。停電に備え、懐中電灯や携帯ラジオの準備を忘れずに。また、断水対策としては、飲料用のペットボトルを多めに用意し、またトイレなどの生活用水用に浴槽に水を張っておくといい。また、交通網のまひなどにより食料品がすぐ入手できなくなる可能性もあるので、ある程度の食料もストックしておこう。食料は調理する必要のない、そのまま食べられるものがベストだ。

非常用パックを用意する

停電に備える懐中電灯(予備の電池も)、ランタン、ローソク、マ

▶▶▶ 非常用バッグの用意 P.28、水と食料の備蓄 P.30

ッチのほか、台風情報を得るための携帯ラジオ（予備の電池も）、連絡用の携帯電話、ケガをしたときのためのファーストエイド・キット、避難しなければならなくなったときの雨具と着替えとヘルメット、非常食、貴重品などを用意し、デイパックなどにまとめて入れておく。

浸水に備える

水害に見舞われる可能性のある河川のそばや海岸線沿い、低地などに住んでいる場合は、ぬれては困るものをあらかじめ2階に運んでおこう。2階がなければ、水害の危険のないところに一時的に預けるしかない。

避難場所・経路を確認する

避難勧告や指示があったときにすぐに退避できるよう、最寄りの避難場所を確認するとともに、そこへ行くための安全な経路も実際に歩いてチェックしておきたい。なお、台風や大雨のときに水害の出る恐れのある自治体では、浸水危険区域を表示した浸水予想図や、避難場所、避難経路、救急医療機関、情報入手法などを盛り込んだハザードマップを作成しているので、該当エリアに住んでいるのなら入手しておいたほうがいい。浸水予想図やハザードマップを用意している自治体の一覧は、国土交通省の河川局ホームページの「洪水・はん濫情報の所在地情報」のページ（http://www.mlit.go.jp/river/saigai/tisiki/syozaiti/index.html）を参照のこと。

台風の強い風はベランダに置いてあるガーデニングの植木鉢も宙に舞い上げる。それが人に当たれば大ケガにつながってしまう。必ず屋内に入れておこう

家の周りやベランダの側溝や排水口、雨どいなどはつい掃除もサボりがち。ゴミや落ち葉などで目詰まりを起こさないよう、きちんと掃除して水はけをよくしておく

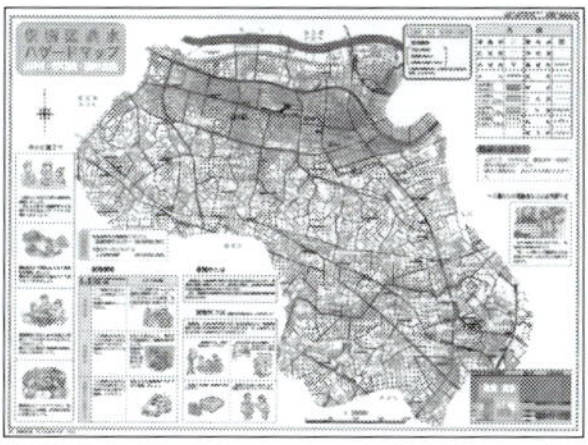

板橋区が作製しているハザードマップ

台風が接近したら

台風時に屋外は、さまざまなアクシデントが起こりうる危険ゾーン。屋内でじっとしているのがいちばん安全だ。しかし、避難勧告や指示が出たときにはスピーディに安全な場所に避難しよう。

なるべく外に出ない

台風時に最も安全な場所といえるのは屋内。テレビやラジオやインターネット、あるいは防災無線などで台風情報を収集しながら、通り過ぎていくのをじっと待とう。ただし、避難勧告や指示が出たときにはすぐに避難できるように準備を整えておくこと。また、注意報や警報にもよく注意し、想定される危険への対処法を考えておくことも大事だ。

もし台風接近時に野外にいた場合は、ただちに安全な建物の中に避難する。特に海辺は高潮や高波の、川辺は増水や鉄砲水の危険があるので、一刻も早く避難しなければならない。山にいるのなら、山小屋に逃げ込むのがいちばんである。

停電が長期化すると、冷蔵庫内の食料のなかには傷むものも出てくる。扉の開閉は必要最小限に

屋外の補強作業や見回りなどで外に出る場合は、風で飛ばされたものに当たってケガをすることもあるので、必ずヘルメットをかぶるようにする。その際には単独行動は避け、できるだけふたり以上で行動しよう。連絡用の携帯電話も忘れずに。

危険な場所には近寄らない

崖崩れや山崩れの危険のあるところ、切れて垂れ下がっている電線などにはけっして近づいてはならない。大雨を伴う台風時には、地下街や地下室も危険だ。氾濫した河川の水や降雨が低い場所に流れ込んでくるため、水没してしまう恐れがある。台風被害ではないが、1999年6月には博多駅前の地下街で、同年7月には新宿のビルの地下室で、大雨による浸水でそれぞれひとりが死亡するという事故も起こっている。地下街や地下室にいると外の様子がわかりにくく、逃げ遅れてしまう可能性も高いので、なるべく地上に出るようにしよう。

道路が冠水しているときには、側溝や小川が判別できないうえ、マンホールのふたが浮き上がっていることもある。これらに転落する事故も多いので、冠水した道路は歩かないようにしたい。また、エレベーターに乗っているときに停電すると閉じ込められてしまう。ビル内での移動は階段を使うように。

避難する

行政機関等から避難勧告や指示があったら、確実に火の始末をし、カギをしっかり閉めてからただちに避難を開始する。単独での避難はできるだけ避け、家族単位あるいは地域の住民や職場の仲間などグループで避難するのが望ましい。自動車は途中で立ち往生してしまうなどのリスクが大きいため、避難場所へは徒歩で向かおう。所持品は必要最小限にとどめ、両手が自由になるザックに入れて持ち運ぶ。冠水している道路を歩くときには、下水や段差や溝などに足を取られないようにストックなどをつえ代わりにするといい。足回りは、水が入ると歩きにくくなる長靴よりも、ひもでしっかり足元を締められる運動靴やトレッキングシューズがベスト。もちろんヘルメットは必ずかぶること。

なお、河川や海岸の近く、急傾斜地や崖の下などに住んでいて、危険を感じたのなら、たとえ避難勧告や指示が出ていなくても迷わずに自主的に避難しよう。

避難するときには動きやすい服装で。雨具は風でめくり上がらないセパレートタイプのものがベスト。傘は強風にあおられるうえ、周囲に注意が行き届かなくなるので使わないこと。

切れて垂れ下がっている電線を発見した場合は、そばに近寄らずに電力会社に連絡する

ブロック塀のそばや崖の近くを通るときには、なるべく遠く離れよう

▶▶▶避難する P.50

大きな被害をもたらした主な台風

年月日	台風名	被害状況
1934年9月21日	室戸台風	高知県室戸岬付近に上陸。世界気象観測始まって以来の最低気圧911.6hPaを記録。死者・行方不明者3036人、負傷者1万4994人、損壊家屋9万2740戸、浸水家屋40万1157戸。
1945年9月17日	枕崎台風	鹿児島県枕崎付近に上陸。死者・行方不明者3756人、負傷者2452人、損壊家屋8万9839戸、浸水家屋27万3888戸。戦後間もない台風ということで、特に原爆を投下された広島県に大きな被害が出た。
1947年9月8日	キャサリン台風	紀伊半島沖から関東地方、房総半島をかすめて三陸沖を通過。関東地方を中心に大きな被害をもたらす。死者・行方不明者1930人、損壊家屋9298戸、浸水家屋38万4743戸。
1954年9月26日	洞爺丸台風	鹿児島県に上陸。中国地方から日本海を抜け北海道へ。青函連絡船「洞爺丸」が遭難し、1139人が犠牲になる。死者・行方不明者1761人、負傷者1601人、損壊家屋3万167戸、浸水家屋10万3533戸。
1958年9月26日	狩野川台風	伊豆半島南端をかすめ、関東地方に上陸。集中豪雨に見舞われた狩野川流域を中心に多くの犠牲者を出した。死者・行方不明者1269人、負傷者1138人、損壊家屋4293戸、浸水家屋52万1715戸。
1959年9月26日	伊勢湾台風	和歌山県潮岬付近に上陸。死者・行方不明者5098人、負傷者3万8921人、損壊家屋83万3965戸、浸水家屋6万3611戸、船舶被害7576隻。史上最悪の被害をもたらした。高潮による被害が大きかった。
1982年8月2日	台風第10号	渥美半島に上陸、富山湾から日本海へ進み、温帯低気圧となって東北地方に接近。広い範囲で大雨となる。死者・行方不明者95人。負傷者174人、損壊家屋5312戸、浸水家屋11万3902戸。
1983年9月28日	台風第10号	ほぼ全国的に大雨に見舞われる。死者・行方不明者44人、負傷者118人、損壊家屋640戸、浸水家屋5万6267戸。
1990年9月19日	台風第19号	沖縄本島に接近したのち北東に進み、和歌山県白浜町付近に上陸。北陸、東北を経て三陸沖へ。全国各地に大雨をもたらした。死者・行方不明者40人、負傷者131人、損壊家屋1万6541戸、浸水家屋1万8183戸。
1991年9月27日	台風第19号	17号、18号に続き、長崎県に上陸。強い勢力を保ったまま日本海沿岸を北上し、全国的に大きな被害をもたらした。死者・行方不明者62人、負傷者1499人、損壊家屋17万447戸、浸水家屋2万2965戸。
1993年9月3日	台風第13号	死者・行方不明者48人、負傷者266人、損壊家屋1892戸、浸水家屋1万447戸。薩摩半島南部に上陸。九州、四国、中国地方を経て山陰沖へ。九州地方を中心に大きな被害を出す。
1999年9月24日	台風第18号	熊本県北部に上陸したのち、山口県から日本海に進み北海道渡島半島に再上陸。網走沖で温帯低気圧に変わる。死者・行方不明者36人、負傷者1077人、損壊家屋4万7150戸、浸水家屋2万3218戸。

*『理科年表』、気象庁ホームページ、NHKボランティアネット、防災システム研究所ホームページをもとに作成。

第6章

雷

なぜ雷は起こるのか?

**雷は、自然が起こす超大型の火花放電だ。地表近くの空気が暖められて上昇気流となり、それが上空で冷やされて雷雲となる。
この雷雲から地面へ向かって放たれる強い電気が落雷だ。**

雷を起こす雷雲は、大気が不安定な状態——暖かく湿った空気が地面の近くに、乾いた冷たい空気が上空にある——になっているときに、強い上昇気流が起こって発生する。

たとえば夏の暑い日に、太陽によって熱せられた地面近くの湿った空気は、上昇気流となって上空へと上っていく(暖かい空気は軽いので上に行く性質がある)。上昇していった暖かい空気は、上空の冷たい空気に冷やされて細かな水や氷の粒に変わり、雲となる。次から次へと下から暖かい空気が上ってくると、雲はどんどん発達して雷雲となる。

雷雲の中でできた氷の粒や雪片や水滴は、重力によって下に落ちる。その際に、上昇気流によって吹き上げられてくる細かな水滴と激しくぶつかり合い、または擦れ合ったりする。このときにプラスとマイナスの電気が生じるのだが、どちらかの電圧が一定以上になると、空気の絶縁が破れて火花放電が起こる。これが雷の正体だ。

雷による放電(雷放電)には、雷雲の中だけで放電される雲放電と、雷雲から地面へ放電される落雷がある。そのいずれにしても光(電光)と音(雷鳴)を伴い、瞬時に数kmにわたって大電流を流す。放電距離は通常5km、短くて2kmほどだが、ときに20kmに達することもある。また、雷雲は、発達期、成熟期、消滅期の3期に分けられ、寿命はそれぞれ約15分で、いったん雷雲が発生すると、雷はだいたい45分ほど断続的に続き、その間に落雷は30秒に1回程度の割合で起こるとされている。

なお、前述した、大気が不安定になって激しい上昇気流が発生して起こる雷を「熱雷《ねつらい》」と呼ぶ。一方、寒冷前線の張り出しによって、暖かい空気が急激に上昇したときに起こるのが「界雷《かいらい》」。夏の雷は主に熱雷で、逆に冬や春の雷はほとんどが界雷だと思っていい。ただし、このふたつの成因が複合して起こる「熱界雷」も実際は少なくない。

雷の性質

基本的に雷は雷雲の位置次第でどこにでも落ちる可能性がある。
特に野外においては、海、山、樹林帯、平野などを問わず、
どこに落ちても不思議ではない。が、雷にもある一定の法則性はある。

高いものに落ちる

鉄塔や高層ビル、山のピークや立ち木など、雷は高いものに落ちようとする傾向がある。たとえば人間がふたり並んでいたとすると、落雷を受けるのはたいてい背の高い人のほうだ。また、同じ高さの木と鉄塔では、雷を引きつける効果は同じぐらいだと考えられている。つまりどちらへ落ちるかという可能性は半々であり、必ずしも金属に落ちるとは限らないのである。

高いものに落ちようとする雷の性質をうまく利用したのが避雷針。避雷針に落ちた雷の電流は、施設や設備を損傷させることなく地面に流れ込む構造になっている

ほかの物体に飛び移る

雷が落ちると、雷の電流は最終的に地面に流れ込んでいくが、その過程で電流はなるべく電気が通りやすいところを通ろうとする。木に落ちた雷の電流がそばにいた人間に飛び移って死傷させるという事故がときに起こるが、これは木よりも人体のほうが電流が流れやすいからだ。人間の体の60%は電気をよく通す水で構成されているので、雷の電流が木の幹や枝から人体に飛び移って地面へと流れ込むわけである。このような現象を「側撃《そくげき》」という。

雷から見れば、立っている人間というのは大地から突き出た突起物であり、いわば人体そのものが雷を引きつけやすい避雷針のようなものなのだ。雷のときに金属を体から遠ざけても、少しも安全にはならないのである

雷がもたらす被害

人間を死に至らしめるものから、われわれの社会生活に大きな影響を及ぼすものまで、雷による被害はさまざまだ。特に近年はコンピュータネットワークに与える被害が大きな問題となっている。

人体への落雷

雷による被害のなかでも最も恐ろしいのが人体への落雷だ。人体に雷が落ちると、体内に電流が流れ、呼吸器系と心臓のまひを引き起こし、人を死に至らしめる。幸い命拾いしたとしても、ヤケドを負ったり、内臓や神経に障害が残ることも多い。俗に雷は「一雷一殺」といわれ、死に至るか重症を負うのは、直撃を受けたひとりに限られることが多い。ただし側撃事故の場合は複数の人間が死傷するケースもある。雷の直撃を受けた場合の死亡する確率は約80%。残り20%は数週間の入院を要する重症を負うことになる。

家電やOA機器の破損

近年急増している被害。落雷があったときに、雷の高い電圧が電線や電話線を伝わって室内に進入し、過剰電流によってテレビやパソコン、電話機、ファックスなどの家電製品やOA機器が破損してしまう。特にパソコンの場合、瞬時にデータが失われてしまうばかりではなく、張り巡らされたネットワークを通して被害が拡大することになる。

停電

建物や電線などに雷が落ちると、電気を供給する設備や電気機器が破損・停止して停電になってしまう。1世帯のみの停電と地域的な広い範囲での停電がある。

火災

落雷の高電圧によって火災が引き起こされるケースもある。2001年6月には、宮崎県で個人宅の居間にあったテレビ2台が落雷により燃え上がるという事故が起こっている。

交通機関などへの影響

主に落雷による停電や電気系統の故障が原因となる。2003年9月3日の夕方には首都圏を激しい雷雨が襲い、ＪＲや私鉄が一時ストップ。帰宅途中の会社員らが駅や車内で足止めを食うなど、15万人余りに影響が出た。

雷が起きやすい地域

雷は、雷雲が発生すればどこでも起こりうるが、上昇気流が発生しやすい山岳地や、暖かい空気が集まりやすい盆地などは、地理的に雷が多発している。南方や冬の日本海沿岸も要注意エリアだ。

雷は、湿った暖かい空気が上昇気流となって上空に上がり、それが冷やされて雷雲になることによって起きるが、こうした現象は、海岸部よりも内陸部で起こりやすい。特に山岳地帯では、山の斜面に沿って山麓から山頂へと向かう空気の流れが生じやすいため、それだけ雷雲も発生しやすくなる。夏山で雷が頻繁に起こるのはこのためだ。

また、平野や盆地などのように、湿った暖かい空気が大量に集まりやすい場所では、山麓部に沿って雷が発生する確率が高くなる。たとえば、栃木や群馬などの関東平野の北西部、岐阜の濃尾平野、京都盆地、奈良盆地、阿蘇山麓の日田盆地などは、雷が発生しやすいエリアとしてよく知られている。

季節的に見ると、夏季の雷は前述の地域のほか、九州や沖縄で多発している。逆に冬季は、寒冷前線の張り出しによる雷が起こりやすくなるため、秋田から滋賀にかけての日本海側沿岸部で多く見られるようになる。

1年間に雷が発生した日数
（1971〜2000年の平均値）

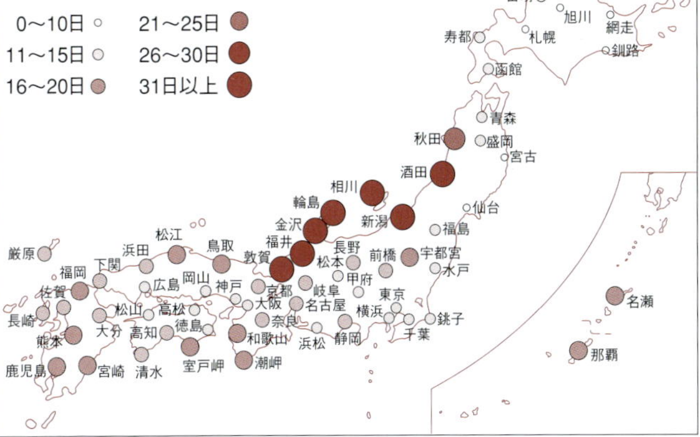

［出典：「かみなりねっと」http://www.kaminari.gr.jp/］
（気象庁の地上気象観測月・年別平均値［2001年］のデータをもとに、かみなりねっとスタッフが作製）

危険箇所と危険行為

雷はどこに落ちるかわからない。特に屋外、それも避雷施設の少ない海や川、野山などの野外では落雷を受ける危険が非常に高いので、充分に注意して行動する必要がある。

木の下にいると、木に落ちた雷が側撃となって襲いかかってくることがある。こと雷に関する限り「寄らば大樹の陰」は通用しない

平坦地

海や浜辺、河原、草原などのような周囲に何もない平坦地では、人間の体そのものが雷の標的になりやすい。2003年9月には、埼玉県内の河川沿いのサイクリングロードで男性が落雷を受け、死亡するという事故も起こっている。たとえ周囲を高い山に囲まれたような場所でも落雷は起きるので、けっして安心はできない。

高い木の下

雷は高い木に落ちやすい。その際に木のすぐそばに人がいると、木に落ちた雷の電流が人体に飛び移ってくる側撃が起こる。雷のときには雨を伴うことが多いため、心理的にどうしても木の下に避難したくなるものだが、それが死を招く。1997年9月、茨城県のゴルフ場では、木の下で雨宿りをしていたゴルフ客らが落雷を受け、3人が死亡、2人が重症を負うという事故が起こっている。

高いものに落ちようとする雷にとって、山頂は格好の的。事故は多くはないが、じつは登山者がいないときに山頂へ数えきれないほどの落雷があるのだ

樹林帯

2002年8月、南アルプスの塩見

岳をツアー登山中のパーティが樹林帯の中で落雷を受け、木からの側撃によって1人が死亡、4人が重軽傷を負った。樹林帯の中はなんとなく安全に思えるが、雷がどの木をめがけて落ちてくるかはわからない。樹林帯の中にいる限り、常に側撃の危険にさらされていると思ったほうがいい。

山岳地

山頂を筆頭に、尾根筋、岩場など、山岳地には雷が落ちやすい場所がたくさんある。実際、山での落雷事故はかなりの頻度で起きている。山ではどこにいようと落雷の危険がつきまとうものと、登山者やハイカーは認識すべきだ。

休憩所、あずまや、テント

遊歩道やハイキングコースなどに設けられている休憩所やあずまやは、屋根があるので一見、安全なように見える。しかし、1992年11月に、丹沢の大山であずまやへの落雷事故が発生し、雨宿りをしていたハイカー1人が死亡、10人が重軽傷を負った。避雷針などの避雷設備のない建造物では、安全性が確保されていないと考えよう。

また、テントのポールは落雷を受けやすく、側撃となってテント内にいる人に致命傷を負わせる。木の下で幕営していると、木に落ちた雷の側撃を受けることもある。

ゴルフや釣り、テニスなど

振り上げたゴルフクラブや釣り竿など、人体よりも高く突き出た物体は、それが金属であろうとなかろうと、非常に落雷を受けやすい。野外では雷雨のときには傘をささずに雨具を着用することだ。登山の際にザックからピッケルやストックが突き出ているのも危険。

手にしている物体が体よりも高い位置に突き出るのは危険極まりない。雷のときに釣り竿やゴルフクラブ、バット、テニスラケット、ストック、ピッケルなどを振りかざしたり、傘をさしたりするのは自殺行為だ

野外で雷を事前に予知する方法

街なら雷からの避難場所はあちこちにあるが、海や野山にいるときにはそうはいかない。そのため野外では、少しでも早く雷を予知する必要がある。じつは簡単な雷の予知方法がある。

まず、野外では少なくとも朝昼晩の3回、携帯電話やラジオなどで天気予報をチェックしたい。もし雷雨の予報や雷注意報が出されていたら、予定を早めに切り上げたり行動を控えたりすることだ。夏山では午後になると毎日のように雷が起こるので、なるべく午後の早いうちに行動を打ち切るようにしよう。

雷雲の正体は入道雲(積乱雲)。こうした雲がもくもくとわいてきたら、やがて雷になることが予想される。かすかに雷鳴が聞こえてきたり、アラレがパラパラと降ってきたときも雷になる前兆と思っていい

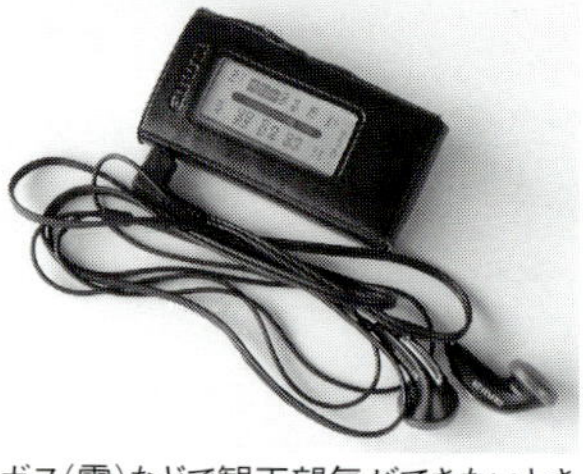

ガス(霧)などで観天望気ができないときは、ラジオで雷を予知することができる。なお、雷による電波雑音を受信できるのは中波や短波のAM放送だ。FM放送では雑音をほとんど検知できないので、受信をAM放送に切り替える必要がある

また、雷を予知するためには観天望気も欠かせない。雷雲、いわゆる積乱雲(入道雲ともいう)がもくもくと発達してきたら要注意。すぐに安全な場所に移動しよう。

もうひとつ、雷の予知に役立つのが携帯ラジオ。ラジオのAM放送は約50km離れた雷からの電波雑音を受信することができる。ラジオをつけているときに「ガリッガリッ」という雑音が入ったら50km以内に雷雲がある証拠。雷がさらに接近してくると、雑音の間隔が短くなり、激しく連続的に聞こえるようになる。かすかにでも雷鳴が聞こえてきたら、雷は10km程度まで近づいている。そのときにはもう落雷の射程距離に入ってしまっているから、早急に安全な場所に避難しなければならない。

雷から電化製品を守る

雷は電線や電話線を伝わって屋内に進入し、電化製品を破損させてしまう。それが高価な家電だったり大切なパソコンのデータだったりしたら、泣くに泣けない。電化製品にも雷対策が必要なのだ。

最もてっとり早いのは、電化製品のコンセントを抜くことである。こうすればもう過剰電流が流れ込んでくる心配はない。ただし、雷の電流はテレビのアンテナケーブルや、電話やパソコンにつながっている電話線、あるいはアースなどからも進入してくるので、これらを抜いておくことも忘れずに。

もしすべての電化製品のコンセントをいちいち抜くのが面倒ならば、雷サージ(雷が発生させる電気エネルギー)をガードする電源タップを用いるといい。雷サージプロテクターには、電源タップのほか、電話回線対応のもの、ノートPC用電源ケーブルなど、さまざまなタイプの商品が市販されているので、用途に合わせて選ぶといいだろう。

また、デスクトップパソコンにはパーソナルユーザー向けの無停電電源装置(UPS)を取り付けるのも一考だ。これは、雷による停電や電圧変動などのトラブル時にも安定して電源を供給するもので、パソコン内のデータの消失を未然に防ぐことができる。自分のPC環境に合ったものを選ぼう。

電源コードを抜くことで落雷による電化製品の破損を防ぐことができる

異常電圧を吸収し、制限された低い電圧のみを電化製品に供給する雷ガード

電線と電話線からの雷サージを同時にプロテクトするタイプのタップ。パソコンや電話やファックスに用いる

雷から避難する

落雷に遭わないようにするためには、雷の発生・接近を予知して回避するのがいちばんである。それでも遭遇してしまったときには、少しでも安全な場所に速やかに逃げ込むしかない。

雷雨時にはなるべく姿勢を低くして避難する。金属は身に着けていても大丈夫だが、所持品が頭より高く突き出ないように注意すること。傘をさすのも厳禁だ

屋内に避難したら、壁や柱などから1m以上離れたところで低い姿勢を保つ。電話や入浴や炊事は控えること

木のそばは側撃を受ける危険性が高い。ただし、1本だけ木が立っているような場所では、木の幹、枝先、葉先から2m以上離れ、なおかつ木のてっぺんを45度以上の角度で見上げる範囲内で姿勢を低く保っていれば、側撃を受ける可能性は低くなる

遠雷が聞こえたら

かすかに雷鳴が聞こえる程度の遠雷(雷鳴が聞こえる範囲は約10km)は、さほど怖いものではないように感じてしまう。しかし、ときに雷は10km以上の距離を一瞬にして走る。遠くで「ゴロッ」と聞こえたら、次の雷が自分の頭上に落ちてくる可能性は充分にあるのだ。遠雷が聞こえたら、ただちに安全な場所に避難しよう。

野外で避難するときには、できるだけ姿勢を低くして移動する。たとえ雨が降っていようと、傘は絶対にささないこと。ザックやゴルフバッグなどは低い位置で抱えて持ち、釣り竿やテニスラケット、ストックなどはけっして頭上高く振り上げてはならない。団体の場合は、万一落雷したときの被害を最小限に抑えるため、なるべく距離をおいて避難する。

なお、雷放電の間隔は平均10秒に1回(3秒に1回から60秒に1回まで幅がある)で、そのうち30秒に1回ほどは落雷となる。雷雲の寿命は、発達期、成熟期、消滅期のそれぞれ約15分。いったん雷雲が

発生すると、だいたい45分ほど断続的に雷が続くとされている。

安全な場所

雷を避けるのに最も安全な空間は、建物や電車、バス、自動車などの中である。これらの中に逃げ込めば、まず落雷を受ける心配はない。ただし、避雷針のない建物(一戸建ての家や山小屋、海の家など)に雷が落ちた場合、電気配線を伝わってきた高電圧にやられて傷害を受ける危険がある。これを防ぐには、柱や壁から1m以上離れたところで低い姿勢を保ってじっとしていること。同様の理由から、固定電話は使用してはならない(携帯電話はOK)。また、雷の高電圧は水道管や排水管を伝って屋内に進入する可能性もあるので、入浴や炊事、洗濯も控えたほうがいい。

野外で雷に遭遇したら

前記のような安全な場所が近くにない野外では、くぼ地などのなるべく低い場所に移動し、しゃがむなど姿勢を低くしたままでじっと雷をやり過ごす。樹林帯の中だったら、木がまばらな箇所を選び、できるだけ木から離れて姿勢を低くしていること。もし1本だけ高い木が立っているような場所だったら、万全とはいえないが、左ページのイラストのようにしていれば側撃を受ける可能性は低くなる。

なお、鉄塔や送電線は避雷針と同じ役割を果たしてくれるので、その周囲には保護範囲が生じる。つまり鉄塔や送電線のすぐ下に人が立っていても側撃を受ける危険はほとんどないわけで、もしこれらがそばにあるのなら、その下に避難するのが野外ではいちばん安全である。

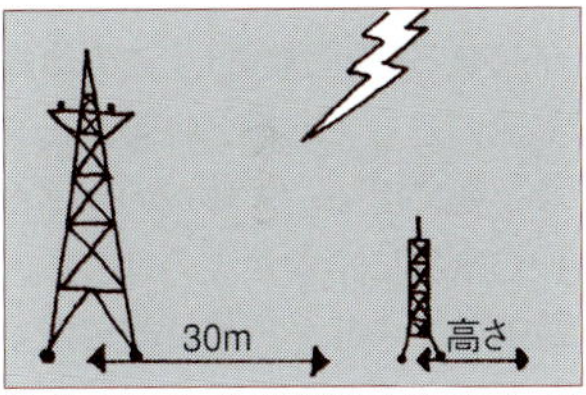

鉄塔の周囲には保護範囲ができる。高さ30m以上の鉄塔の場合は半径30mの円内が、30m以下の鉄塔なら高さを半径とする円内に保護範囲が生じ、この中にいれば落雷を受ける心配はまずなくなる。避難するときは、念のため鉄塔から2m以上離れること

送電線の下の保護範囲。送電線を45度以上に見上げる範囲内にとどまっていれば落雷を避けられる

もし落雷を受けたら

雷による人体への被害はさまざま。落雷を受けた瞬間に即死というケースもあれば、軽いヤケドで済んだという人もいる。意識不明者には、その場で速やかに心肺蘇生法を行なおう。

雷の直撃または側撃を受けると、体内に電流が流れると同時に、人体表面のあちこちで放電が起きる（沿面放電）。この体内電流によって心拍と呼吸が止まり、死に至る。人体への落雷が死亡事故につながるのは、体内電流のエネルギーが体重に対する限界値を超えた場合である。この限界値は体重に比例する。つまり体重の軽い人ほど、たとえば大人よりも子供のほうが、死亡する危険は高くなるというわけだ。一方、人体の表面に沿って起こる沿面放電はヤケドを引き起こすが、比較的軽症で済み、容易に治癒する場合が多い。

沿面放電と体内電流は互いに相関関係にあり、沿面放電が強ければ強いほど、その分だけ危険な体内電流が減少し、致命を免れることもある。過去には、身に着けていた金属が体内電流を外側に引っぱり出す役割を果たし、命が助かったという事例も報告されている。

このほか、落雷地点のすぐそばにいたときに、地表面に沿って流れる雷の電流によってヤケドや痛みやしびれなどが生じることもある。電線や金属管などを伝って屋内に進入する高電圧もまた、同様の傷害をもたらす。

落雷を受けて意識不明に陥る人が出たときは、まず救助を要請してから呼吸の有無を確かめ、呼吸がないのなら即座に心肺蘇生法を施すことだ。心肺蘇生法は、負傷者が意識を回復するか、救助者が現場に到着するまで続けよう。意識がなくとも呼吸をしている、あるいは意識はあるが動けない場合は、楽な体勢にさせて安静を保ち、救助の到着を待つ。

落雷によるヤケドは、体の表面の浅いところに生じるものが多い。現場では、患部を流水やぬれタオルなどで充分に冷やしてから滅菌ガーゼを当てて、包帯や三角巾などで保護しておく。その後、なるべく早く病院に行って治療を受けよう。

落雷による人体への被害は千差万別。なにはともあれ自分で判断せずに、必ず医師の診断を受けることだ。

▶▶▶ 応急手当ての基本 P.144、心肺蘇生法 P.146、ヤケドの応急処置 P.156

第7章

救急法

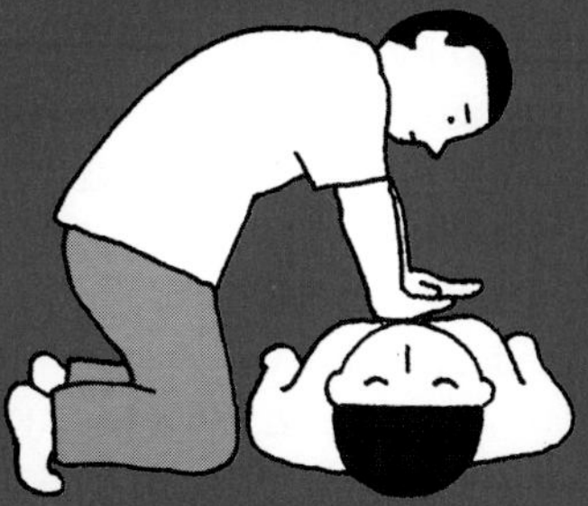

なぜ応急手当てが必要なのか?

ケガをしたり病気になったときに、医療機関で治療を受けるまでの間に現場で施しておく一時的な処置が応急手当て。
適切な応急手当てによって命が助かったという例は、数えきれないほどある。

一刻を争うケガや病気のときに、ただ救急車の到着を待っていただけでは助かるものも助からなくなってしまう。下図の「カーラーの救命曲線」は、緊急事態における時間経過と死亡率の関係を示したもの。たとえば心筋梗塞《こうそく》などで突然心臓が止まってしまったときには、約3分後に死亡率は50%となってしまう。海などでおぼれて呼吸ができなくなったときには約10分後、そして大ケガをして大量に出血したときは約30分後だ。

今日、119番に電話をして救急車が到着するまでの時間は、全国平均で約6分。この間に状況の悪化を食い止めるために行なうのが応急手当てだ。命に関わるケガや病気のときには、応急手当てをするかしないかが、生死を分けるカギとなる。ましてや現場が混乱する災害時には、救急車がすぐ来てくれるという保証はまったくない。そんな状況下では、応急手当ての重要性は間違いなく高まってくる。

いざというときにスムーズに応急手当てが施せるようになるには、全国各地の消防署などの防災機関が行なっている救命講習に参加するといい。さらに一度学んだ応急手当てのノウハウを、忘れずにより実践的なものにするためには、数年に1度は講習を受けるようにしたい。

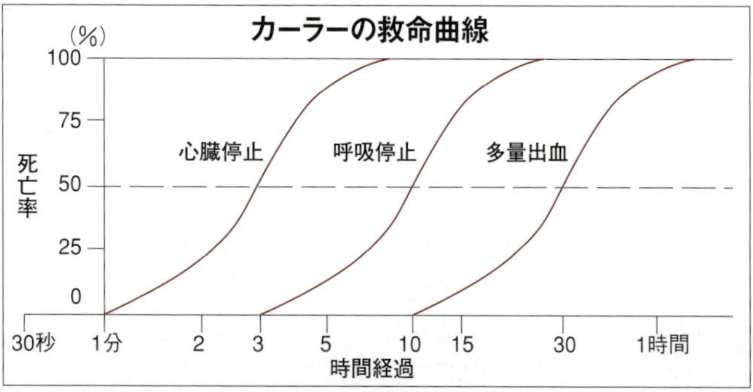

負傷者や病人への対処の手順

**いちばん大事なのはあわてずに対処すること。
現場の状況をよく確認したうえで傷病者の様子を細かくチェックし、
周囲にいる人々と協力して容体に応じた適切な処置を施す必要がある。**

傷病者を発見したときには、落ち着いて次のことを確認しよう。

1.周囲の状況は安全か危険か?
2.多量の出血が見られるかどうか?
3.四肢が変形しているかどうか?
4.嘔吐、失禁の有無は?
5.顔色はどうか?

まず、現場が安全か危険かを判断し、もし危険な場所だったら安全な場所に移動させよう。安全な場所ならその場で応急手当てを施せばいい。ケガをしていて出血が激しい場合は、すぐに止血の処置を行なう。四肢に変形が見られるときは骨折している可能性が高いので、骨折箇所が動かないように固定する。嘔吐によってノドに異物が詰まっていたら、すぐに除去しよう。顔色が青ざめてショック状態に陥っているのなら、ただちに回復させる体位をとらせることだ。

また、意識がないときには気道の確保を、呼吸をしていないならば人工呼吸を、心臓が止まっていたら心肺蘇生法(人工呼吸と心臓マッサージ)を行なわなければならない。そのほかのケガや病状についても、それぞれに応じた適切な処置を行なう必要がある。

なお、人命に関わるケガや病気などの緊急事態が発生したときには、通報、応急手当て、救急処置(救急救命士らが行なう高度な医療処置)、医療処置(病院などでの医療処置)を、途切れることなく迅速かつスムーズに行なうことが重要になってくる。これを「救命の連鎖」(Chain of Survival)と呼んでいる。

傷病者と遭遇したときには、まず助けを呼んで応急手当てを行なう

►►►心肺蘇生法 P.146、止血法 P.150、骨折の応急処置 P.152、搬送法 P.154

応急手当ての基本

**救助を待つときには、できるだけ傷病者の苦痛を和らげ、
症状を悪化させないようにするのが重要。そのためには
体温が低下しないよう保温に努め、少しでも楽な姿勢をとらせることだ。**

傷病者の衣服を緩めるときは、できるだけ安静にさせ、リラックスさせた状態で行なう

熱中症（日射病や熱射病）以外のときは、毛布やレスキューシートなどを使って傷病者の体温を逃がさないようにしよう。野外などでは地面からの冷えを防ぐ必要もある

傷病者に楽な姿勢をとらせるには、まずは衣服を緩めよう。ベルトやシャツのボタン、腕時計など、体を締めつけているものを外してゆったりとさせれば、気分も多少は落ち着いてくる。傷病者に意識がある場合は、無理強いせずに、衣服を緩めてほしいのかどうかを聞いてから行なおう。

次に気をつけなければならないのが体温の保持。寒さを訴えるときはもちろん、震える、顔面から血の気が失せる、皮膚が白っぽくて冷たいなどの症状が見られるときには、体温を逃がさないように毛布などで体を包んで保温しなければならない。ただし、医師の指示があるとき以外は、湯たんぽや電気毛布などを使って温めてはならない。もし衣服がぬれていたら着替えさせてから保温する。

そのうえで、傷病者の苦痛を和らげ、症状が悪化しないように、容体に応じた適切な体位をとらせよう。意識がある場合は、希望する最も楽な体位をとらせるが、意識がないときは側臥位（回復体位）をとらせるといい。

傷病者にとらせる体位

仰《ぎょう》臥《が》位《い》

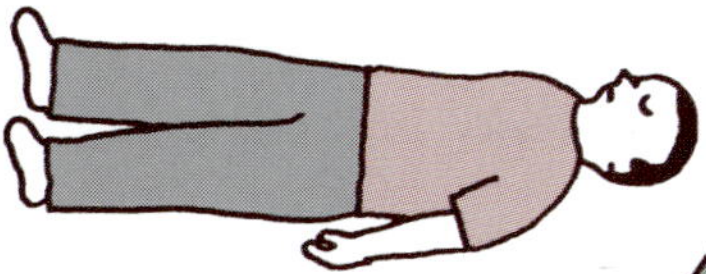

いわゆるあおむけの姿勢。最も安定かつリラックスしている

膝《ひざ》屈《くっ》曲《きょく》位《い》

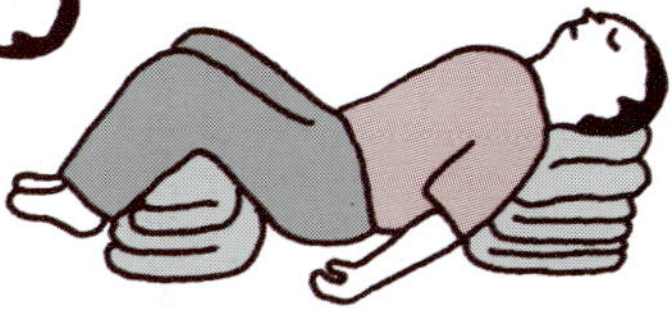

仰臥位の体勢で頭を高くし、ひざを立たせる。腹部の緊張と痛みを和らげるので、腹痛や腹部に外傷を負ったときに適している

腹《ふく》臥《が》位《い》

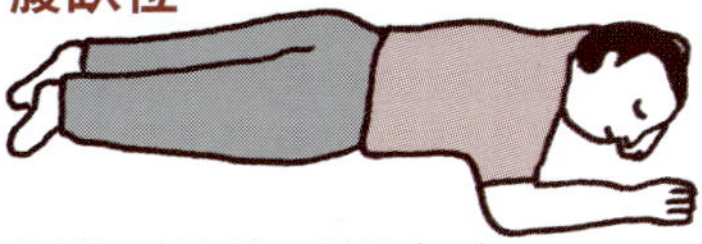

顔を横に向けてうつぶせになった状態。嘔吐時や背中にケガをしているときにとらせる

半《はん》座《ざ》位《い》

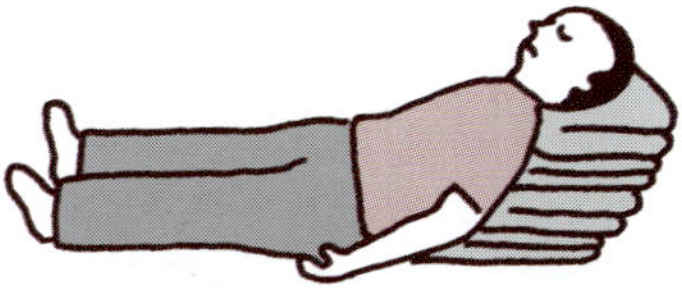

上半身を起こしてもたれかからせた体位。頭部のケガや脳血管障害、呼吸が苦しいときなどに適している

座《ざ》位《い》

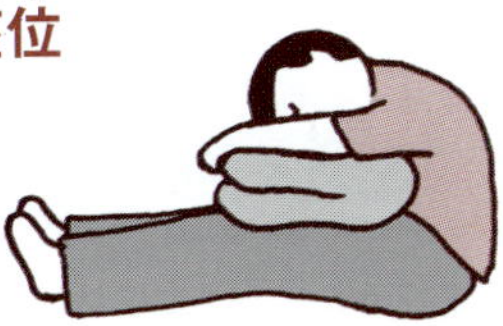

足を伸ばして座った状態で、上半身と足の間にクッションを入れてもたせかからせる。呼吸や胸が苦しい場合にとらせる

足《あし》側《がわ》高《こう》位《い》

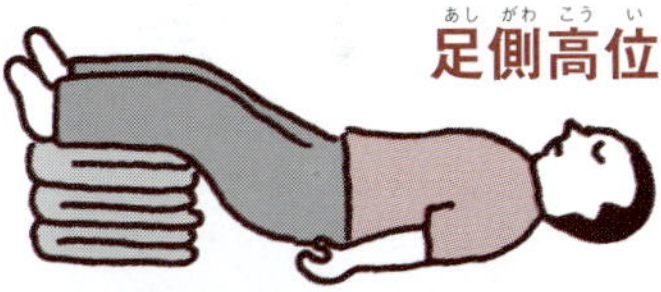

足の位置を高くさせてあおむけになった体位。足を上げる高さは15～30cmほど。貧血時や出血性ショック状態のときにとらせる

側《そく》臥《が》位《い》

呼吸はしているが意識はない傷病者にとらせる体位で、「回復体位」とも呼ばれている。横向きに寝かせ、上の足のひざを90度曲げて体勢を安定させる。また両ひじも軽く曲げさせる。窒息しないように、下あごは前に出して気道を確保する

心《しん》肺《ぱい》蘇《そ》生《せい》法《ほう》

人工呼吸と心臓マッサージを交互に行なう応急手当てを心肺蘇生法という。意識を失って呼吸もしていない(心臓が停止している)傷病者には、速やかに心肺蘇生法を処置しなければならない。

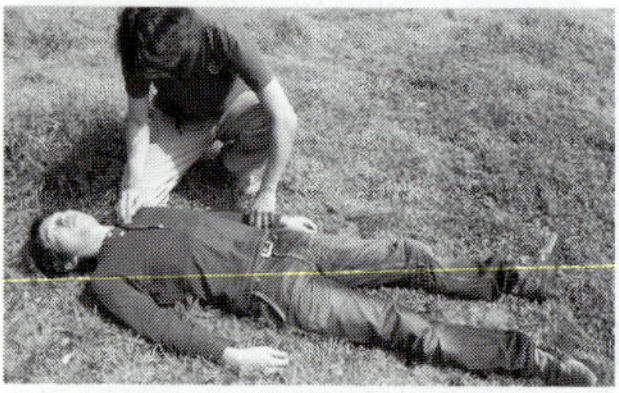

1 傷病者の肩を軽くたたきながら、耳元で「もしもし」などと呼びかけ、意識があるかどうかを調べる。名前がわかるなら名前を呼ぶ

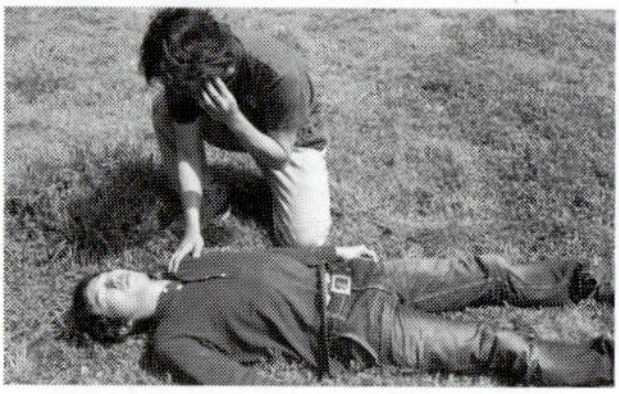

2 意識がないときは119番に通報し、また周囲の人に声をかけて応急手当ての協力を求める

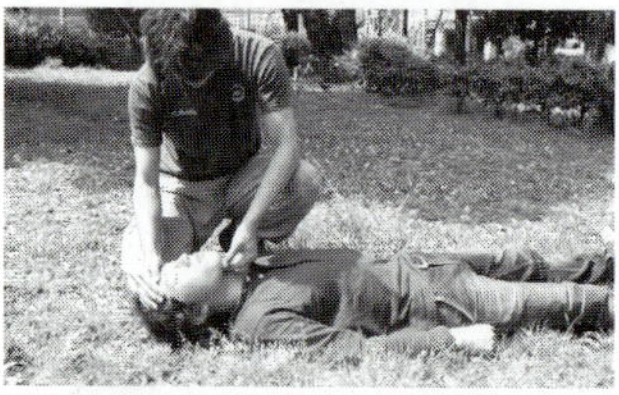

3 意識不明に陥ると、舌の筋肉が緩んで気道をふさいでしまうことがある。窒息を防ぐためには、片手を額に当てて固定し、もう一方の手でアゴの先端を持ち上げて気道を確保する。アゴは鼻の穴が上を向くまで持ち上げる

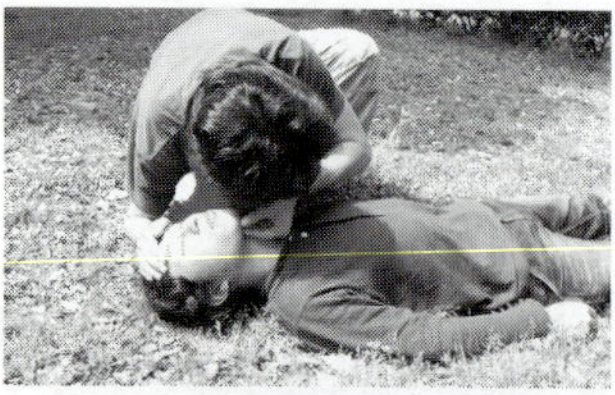

4 そのままの状態で顔を近づけ、呼吸音と吐息を確認する。胸の上下動があるかないかもチェックする

人工呼吸

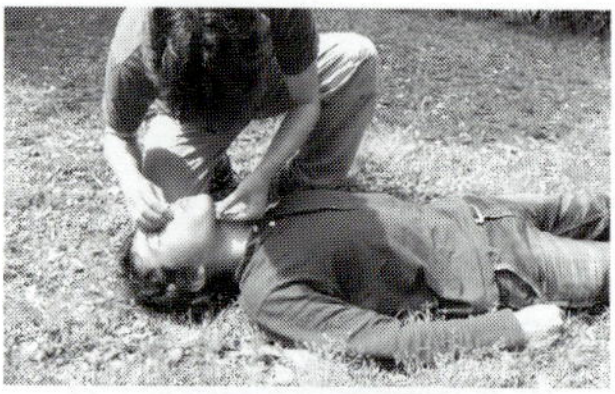

5 呼吸があったなら回復体位をとらせる。呼吸がないときは人工呼吸を行なう。気道を確保したまま鼻をつまみ

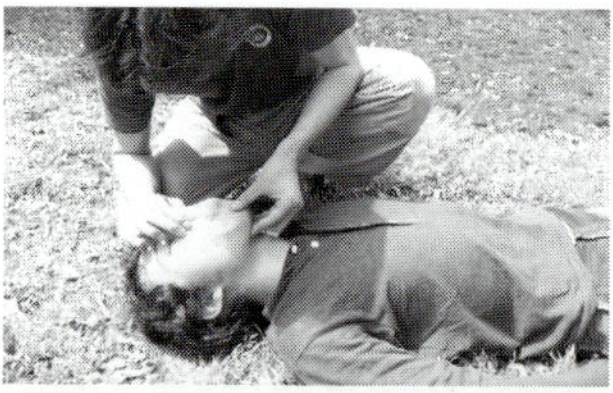

6 空気がもれないように口全体を覆って、大きくゆっくり息を2回吹き込む。しっかり息が吹き込まれていれば、傷病者の胸が上下する

7 気道を確保した状態で、呼吸があるか、体に動きがあるかなどの循環の兆候をチェック。なければただちに心臓マッサージを

心臓マッサージ

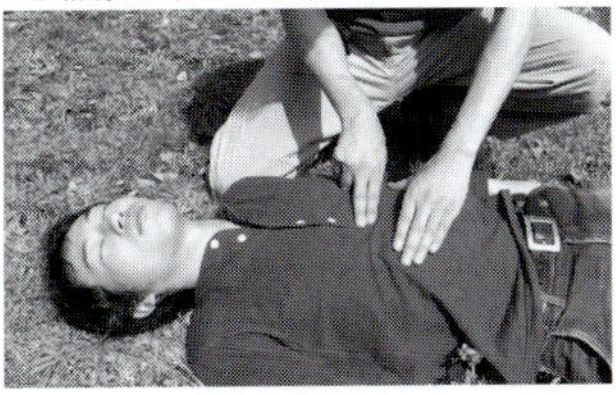

8 左右の乳首を結ぶラインの中間点（胸骨の剣状突起から指2本分上）のあたりを圧迫する

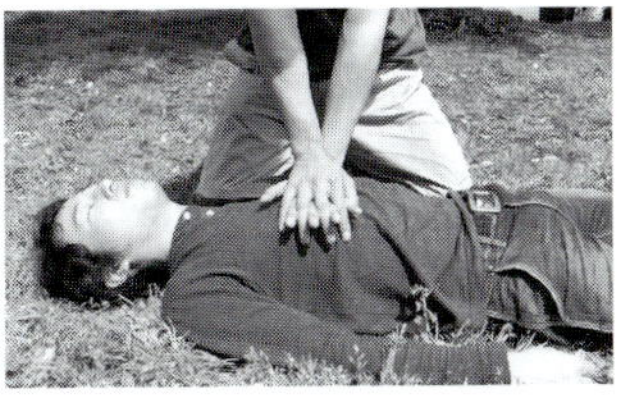

9 手のひらの付け根の部分を圧迫点に当て、もう一方の手を上から重ねる。ひじをまっすぐ伸ばし、垂直方向に圧迫する

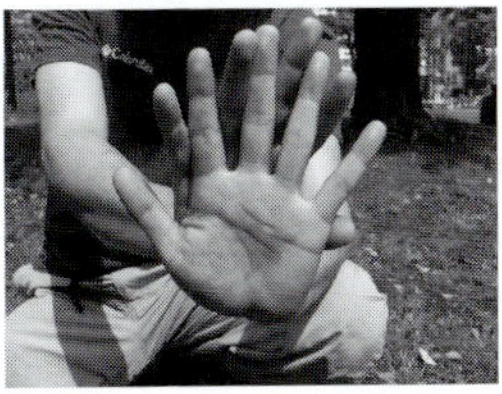

10 手のひらの甲の部分で圧迫する

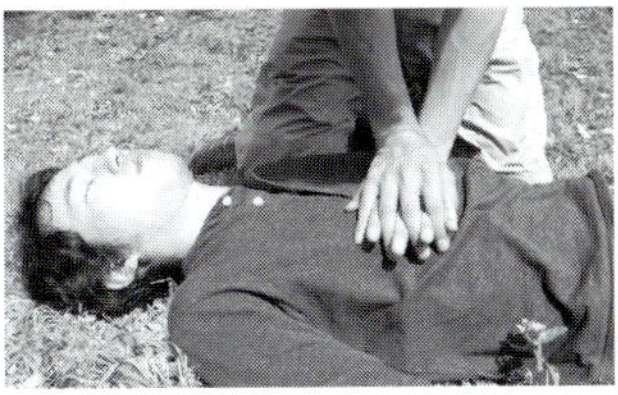

11 押す強さは胸が3.5～5cm沈むぐらい、速さは1分間に100回程度のリズムで

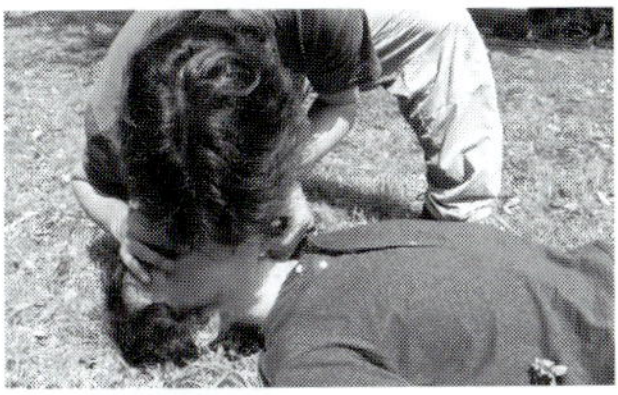

12 心臓マッサージを15回、人工呼吸を2回行なう。このサイクルを4回繰り返し、循環の兆候をチェック、なければサイクルを繰り返す

13 救急車が到着するまで続ける。協力してくれる人がいるのなら、人工呼吸と心臓マッサージを分担して行なう。循環の兆候が見られ、呼吸が充分に回復したら、側臥位をとらせる

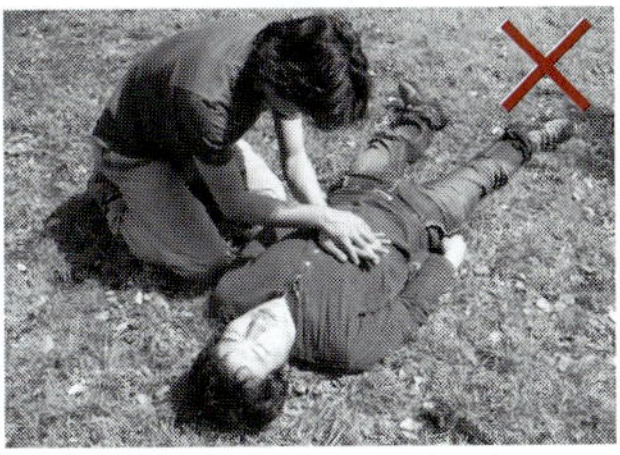

ひじを曲げて押したり斜め方向に押したりしないこと

子供や幼児への心肺蘇生法

8歳以上の子供なら、大人と同じ心肺蘇生法を施して構わないが、8歳未満の子供、乳児の場合は年齢に応じた心肺蘇生法を行なう必要がある。

①生後28日未満、②1歳未満、③1歳以上8歳未満のそれぞれで対応のしかたが異なる。

人工呼吸

①鼻と口を同時に覆い、1回の吹き込みに1秒かけて2回息を吹き込む。②鼻と口を同時に覆い、1回の吹き込みに1〜1.5秒かけて2回息を吹き込む。③口だけを覆い、1回の吹き込みに1〜1.5秒かけて2回息を吹き込む。

ただし、いちばん最初に行なう人工呼吸のみ2回。以降、心臓マッサージとのサイクルを繰り返すときの人工呼吸は1回。

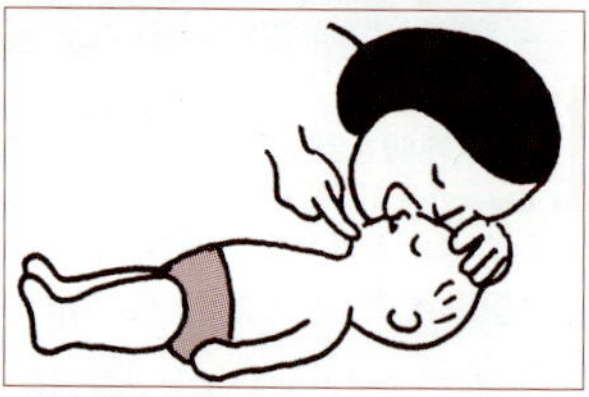

1歳未満の乳児には、口を大きく開け、鼻と口を同時に覆って人工呼吸を行なう

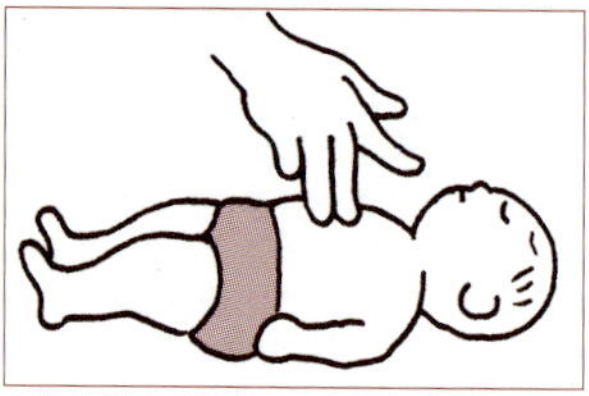

1歳未満の乳児には中指と薬指の2本指で心臓マッサージを行なう

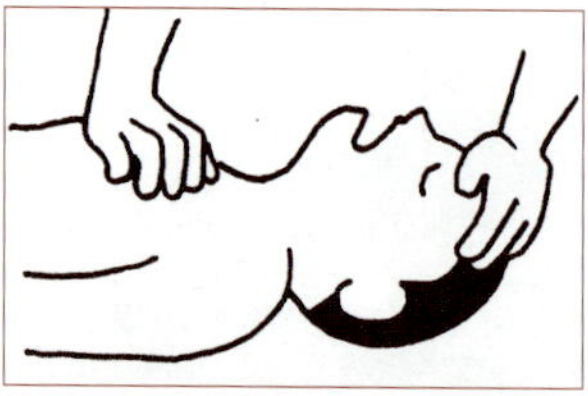

1歳以上8歳未満の子供への心臓マッサージは片手だけで

心臓マッサージ

①左右の乳首を結ぶラインの指1本下側の部位を、中指と薬指の2本で、胸の厚さの3分の1程度がくぼむまで圧迫。速さは1分間に約120回。②左右の乳首を結ぶラインの指1本下側の部位を、中指と薬指で胸の厚さの3分の1程度がくぼむまで圧迫。速さは1分間に少なくても約100回。③片手を胸骨下半分に置き、胸の厚さの3分の1程度がくぼむぐらい圧迫。速さは1分間に100回。

心肺蘇生法を続けるサイクル

①心臓マッサージ3回と人工呼吸1回。2〜3分ごとに循環の徴候を見る。②心臓マッサージ5回と人工呼吸1回。2〜3分ごとに循環の徴候を見る。③は②と同様。

ノドに詰まった異物を取り除く

意識を失っているときに嘔吐物がノドに詰まると、呼吸ができなくなって危険な状態に陥ってしまう。これを気道閉塞と呼ぶ。
そうなったときには速やかに詰まったものを取り除かなければならない。

指《し》拭《しょく》法

顔を横に向け、ハンカチなどを巻きつけた指を口の中に入れて口内の異物をかき出す

背《はい》部《ぶ》叩《こう》打《だ》法

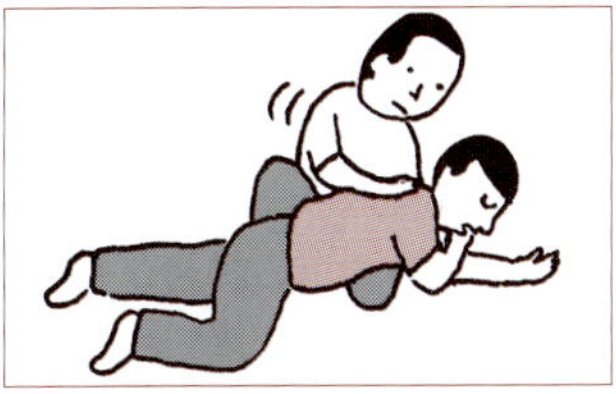

1 側臥位の体勢にして、手のひらで背中（肩甲骨の間）を強く連続して4〜5回たたき、詰まっているものを吐き出させる。このとき、ひざを胸に押しつけるようにして行なうといい

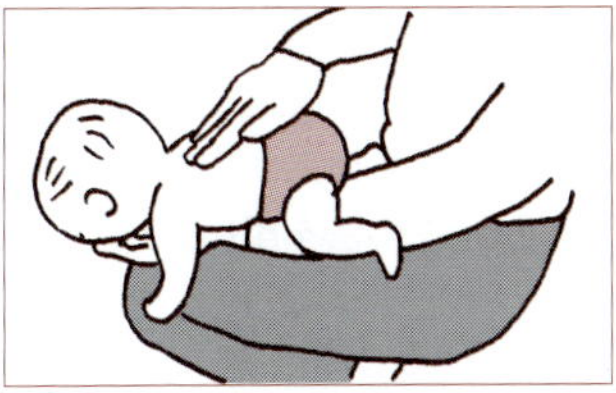

2 乳児や小さな子供の場合は、ひざの上などに腹這いにさせて頭を低くし、手のひらで連続して4〜5回背中をたたく

ハイムリック法

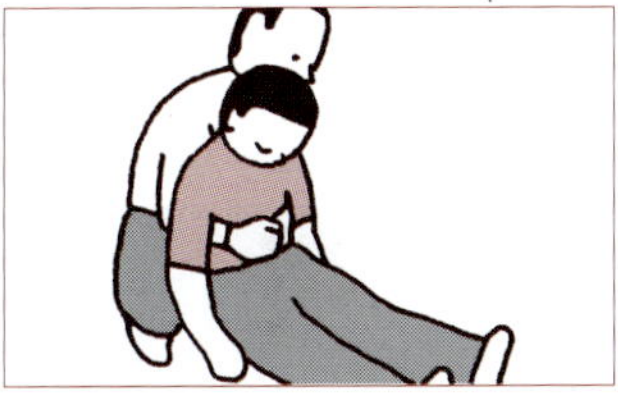

1 足を伸ばして座らせ、背後から両腕を回す

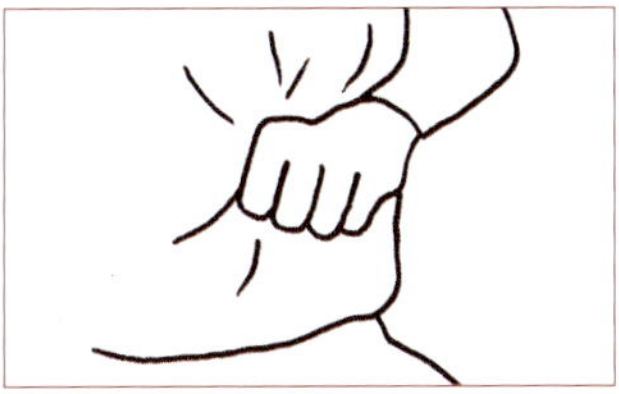

2 片手で握りこぶしを作ってみぞおちの下あたりに当て、その上からもう一方の手をあてがい、手前（斜め上方）に引き上げるように圧迫

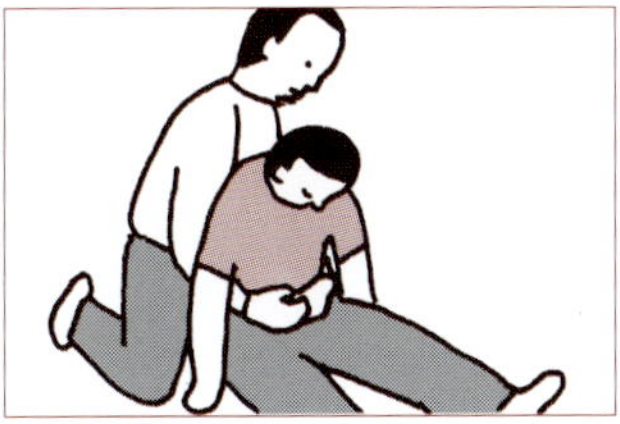

3 何度か試みても異物が出ずに心肺停止になってしまった場合は心肺蘇生法を行なう。なお、ハイムリック法は意識がない人や1歳未満の乳児には行なわないこと

止血法

ケガなどによって短時間に大量の血が失われると、人は死に至る。それを防ぐための応急処置が止血法で、直接圧迫止血法と止血帯法がある。処置するときには感染予防も忘れずに。

出血には3つのタイプがある。真っ赤な鮮血が心臓の鼓動に合わせて脈打つように噴き出す動脈性出血。赤黒い血が持続的にじわじわとわき出てくるような静脈性出血。そして少量の血がにじみ出るように出てくる毛細血管性出血。このうち、動脈性出血と静脈性出血は、太い血管を切ってしまった場合には、短時間に大量の血が流れ出て危険な状態に陥ってしまう。特に動脈性出血はあっという間に大量の血が失われて失血死する恐れもある。

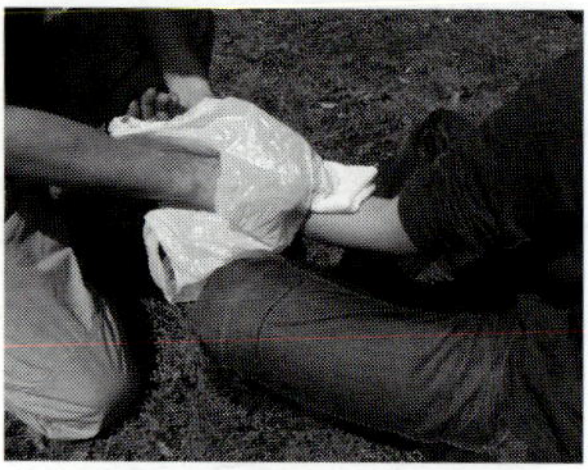

感染防止のため、血液には直接触れないようにする。感染防止用のラテックスの手袋は薬局などで市販されている。手袋がないときは、スーパーなどでもらうビニールの買い物袋などを利用して圧迫する

人の体には体重の7〜8%の血液が流れているが、ケガなどによる出血によって血液の20%が失われるとショック症状に陥り、30%を失えば命に危険が及ぶといわれている。そこで大量の出血があった場合には、速やかに止血処理を行なわなければならない。止血法には直接圧迫止血法と止血帯法があり、最初に直接圧迫止血法を試みて、それでも出血が止まらないときには止血帯法を用いよう。

直接圧迫止血法

傷口にきれいなハンカチやガーゼなどを当て、手で強く圧迫して止血する方法。一度当てた布は外

さないようにし、出血がひどいときには上から当て布を追加する。なお、止血法を行なうときには、感染防止のため負傷者の血液に直接触れてはならない。救急用のラテックスの手袋や、ビニールあるいはゴムの手袋などを必ず装着して処置すること。

止血帯法

直接圧迫止血法で出血が止まらないなら、傷口より心臓に近い部位に止血帯をきつく巻きつけて出血を抑える。圧迫がたりないときには止血帯の間に棒などを差し込み、これを回してさらに強く締めつける。ただし、長時間強く締めつけていると血流が止まって組織が壊死《えし》してしまうので、30分に1回は止血帯を1～2分ほど緩めて血流を再開させよう。

なお、止血帯を使うことができる部位は、足の大腿部と腕の上腕のみ。首や胴体に用いてはならない。また、止血帯は、包帯や三角巾など、幅3cm以上のできるだけ幅の広い布を用いる。組織を傷つける恐れのある細いひもや針金は絶対に使ってはならない。

もし出血がひどく自分たちの手に負えないのなら、そしてもし救急車を呼べるような状況ならば、ただちに119番に電話して、救急車を待つ間に止血の処置を施しておくようにしよう。

止血帯法

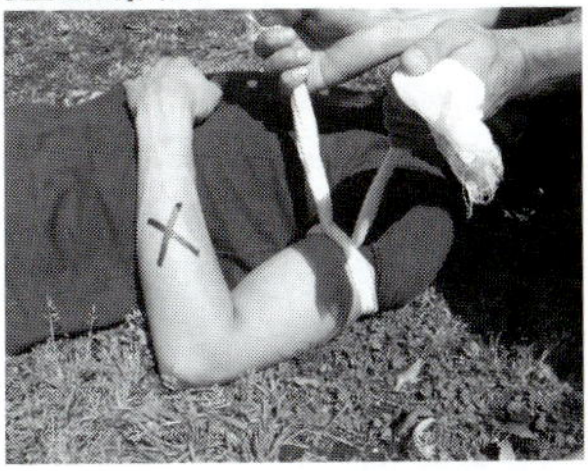

1 傷口に当て布を当てて、傷口より心臓に近い部位に止血帯を緩めに結ぶ

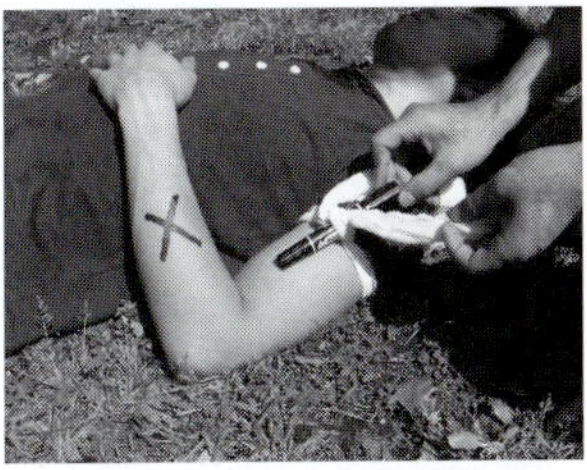

2 棒を入れて回し、止血帯を締める。出血が止まるまで締め、そのまま縛って棒を固定する

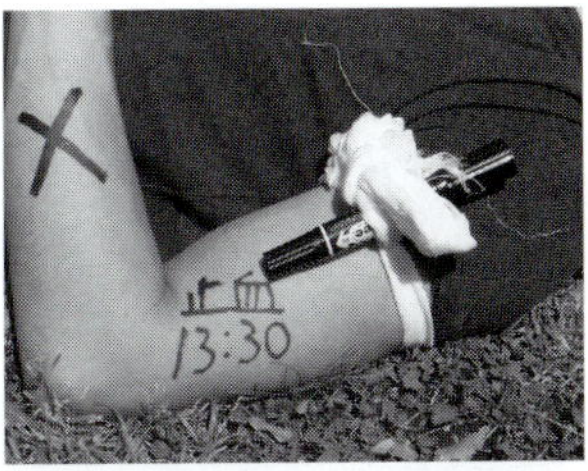

3 棒が動かないように固定したら、止血を始めた時間を記録する。ペンなどがあるなら、止血帯や皮膚に直接書いておくといい。30分に1回は止血帯を緩めて血流を回復させること。まだ出血が続いている場合は再び締めつける

骨折の応急処置

腕や足などが変形していたり、腫れや痛みが激しいときは骨折している可能性が高い。骨折の疑いがあるときには患部が動かないように当て木などで固定し、早急に病院へ行って治療を受けよう。

腕の骨折

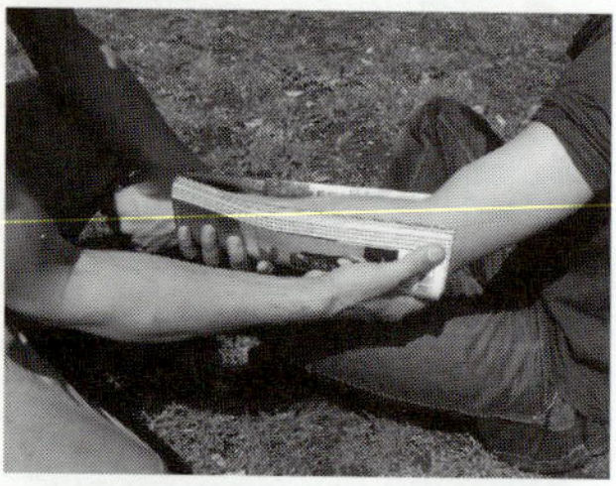

1 当て木となる木の板やダンボール、雑誌などを骨折した箇所に当てる。このとき負傷者に当て木を支えてもらおう。雑誌はB5サイズ以上のものを、ダンボールは幅広で長めのものを使い、骨折箇所を挟み込むようにする。ダンボールの強度が弱いときは二重三重にして強度を高める

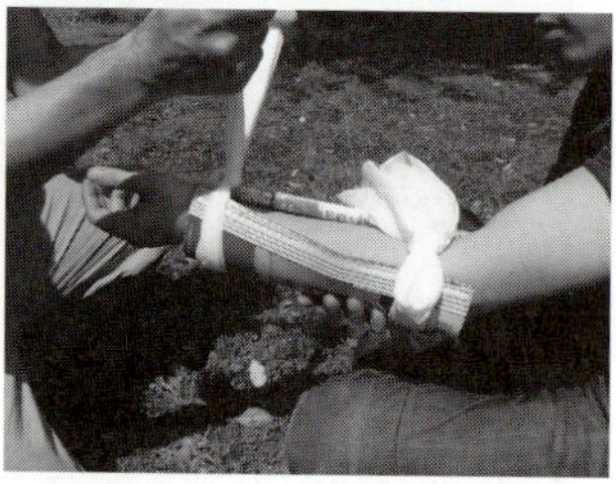

2 骨折箇所の両側の関節部を、三角巾や包帯、テーピングテープなどで固定する

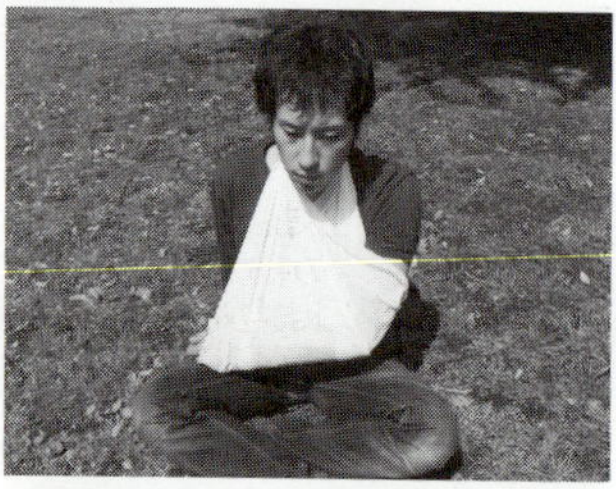

3 三角巾や風呂敷などを使って固定部全体を包み込み、首からつる

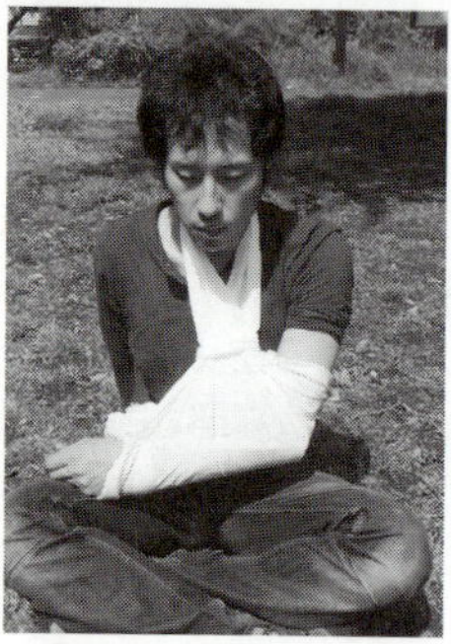

4 さらに包帯やテーピングテープなどで胸に固定し、動かないようにする

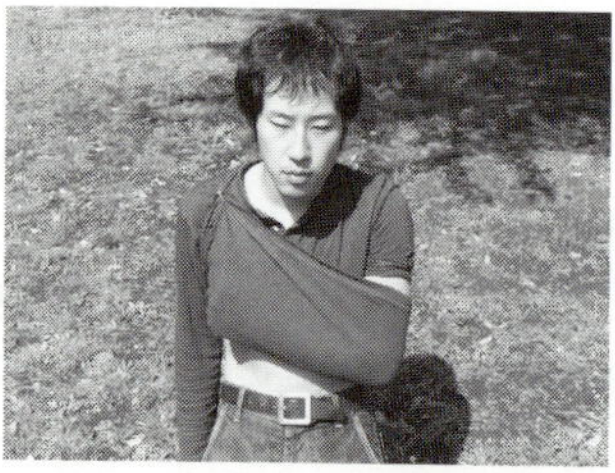

5 安全ピンが2～3個あれば、三角巾や風呂敷がなくても腕をつり下げることができる。写真のように着ているシャツをたくし上げて安全ピンで留めればいい

足の骨折

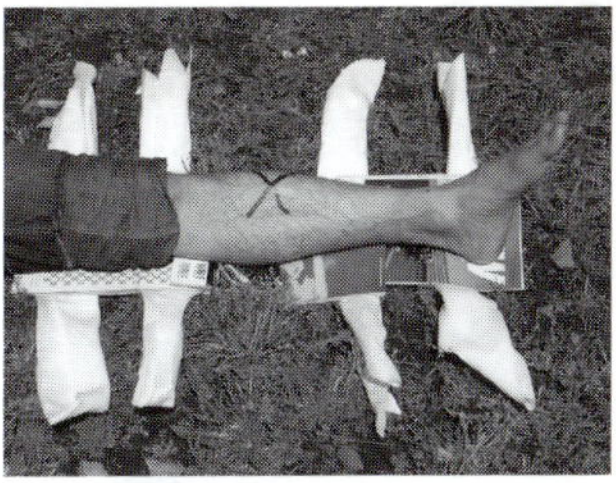

1 木の板やダンボール、雑誌などを骨折した箇所に当てる。当て木となるものは、骨折箇所の上下の関節までカバーできる長さのものを用意しよう

2 三角巾や包帯、テーピングテープなどを使い、骨折箇所の両側計4カ所を1から4の順番で固定していく。このとき第三者に足を支えてもらうと作業がやりやすい

鎖骨の骨折

1 三角巾を八つ折りにして包帯状にし、たすき掛けにするように中央部を背中に当てる

2 骨折しているほうの肩関節を前から押さえながら、三角巾の一端を肩からわきの下へ回し、もう一端をわきの下から肩へ回す

3 両肩を後方に反らして胸を張らせ、三角巾の両端を背中で結ぶ

負傷者を搬送する

災害時に負傷した者が自力で動けない場合、応急手当てを施したのち、周囲にいる人たちが協力し合って安全な場所まで搬送しなければならない。極力、負傷者に苦痛を与えないように搬送しよう。

徒手で搬送する

現場から速やかに移動させるための方法。どんなに慎重に行なっても負傷者に大きな負荷がかかるので、必要最小限にとどめること。なるべくふたり以上で搬送したい。

ひとりで搬送する方法

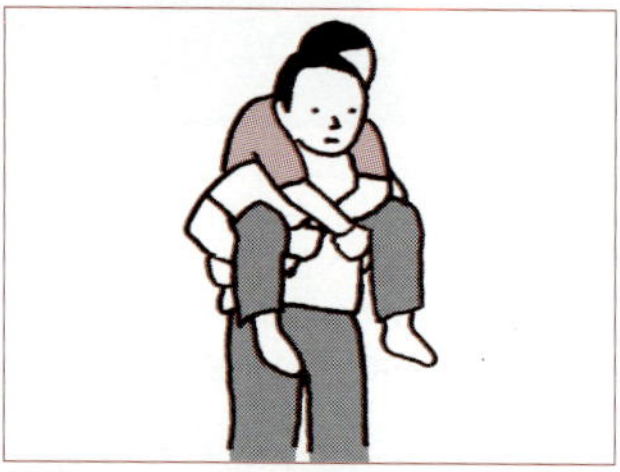

周囲にだれもいない場合は、ひとりで搬送するのもやむをえない。イラストのように背負い、負傷者の腕をクロスさせて持つ。上に来ている腕で下の腕を押さえるようにする

子供や女性や老人など、小柄な人は横抱きにして搬送してもいい。意識があるのなら、腕を首に回させる

ふたりで搬送する方法

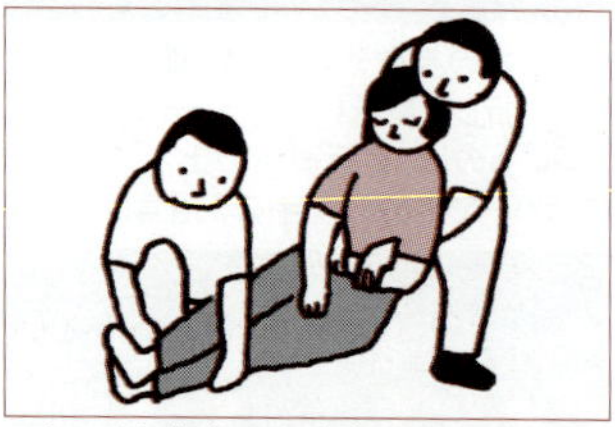

ひとりが負傷者の上半身を後ろから抱え、もうひとりが両足を持って搬送する。負傷者の腕を前に回してつかみ、足は交差させて抱えると運びやすい

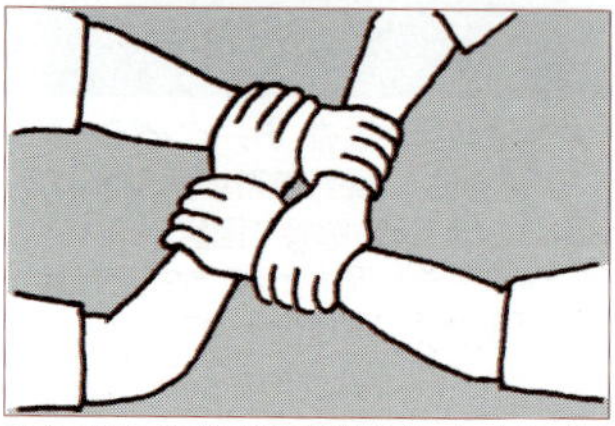

負傷者の意識がある場合は、ふたりがイラストのように腕を組み、そこに負傷者に足を入れて乗ってもらう。そのまま立ち上がって移動する

3人で搬送する方法

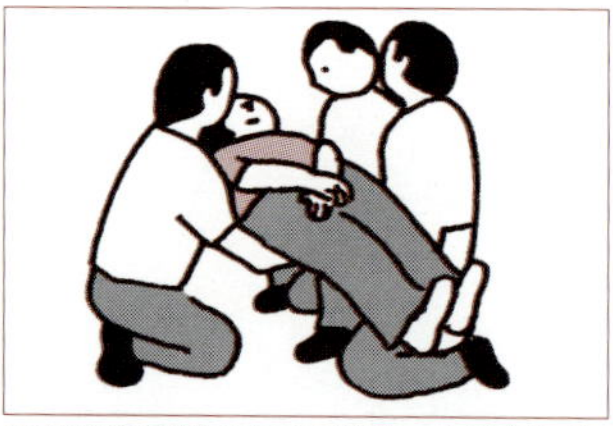

両腕を負傷者の体の下にしっかり差し入れて運ぶ

簡易担架を作って搬送する

周りにあるものを利用して担架を作れば、負傷者をより安定した状態で搬送することができる。足のほうを前にして運ぶのが原則だが、階段の上りでは頭を先に、下りでは足を下にして運ぶ。いずれにしても、できるだけ水平が保たれるように心掛けよう。

毛布と物干し竿で担架を作る

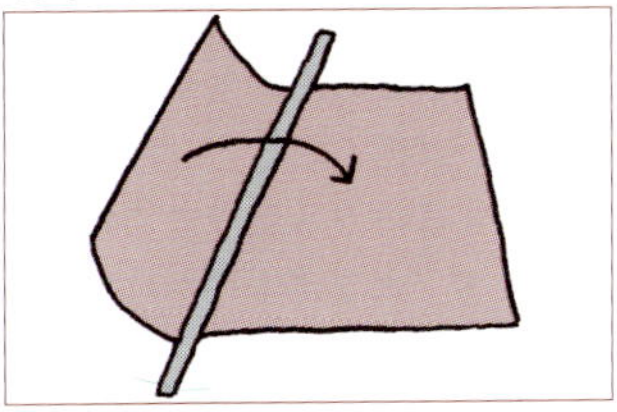

1 毛布を広げて置き、3分の1の幅のところに物干し竿を置いて折り返す

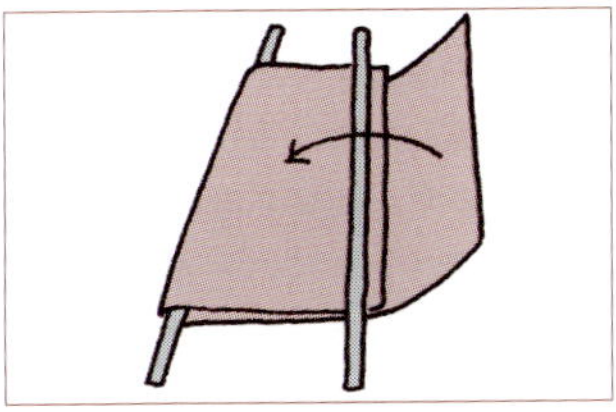

2 折り返した毛布の端に充分余裕を持たせて、もう1本の物干し竿を置き、毛布のもう一端を同様に折り返す

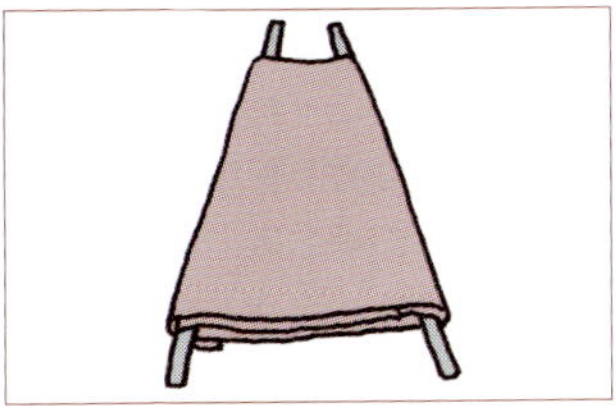

3 簡易担架のできあがり。この上に人を乗せても落ちない

上着と物干し竿で担架を作る

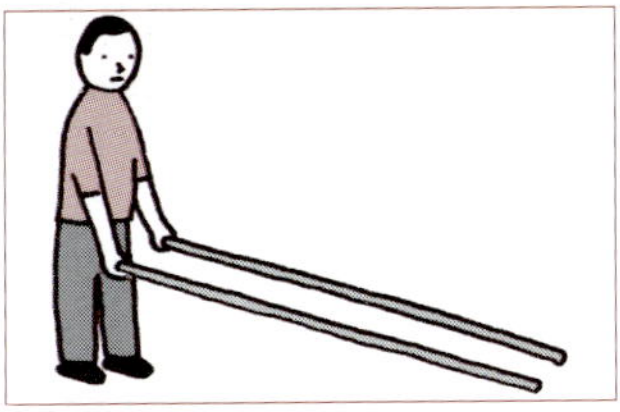

1 イラストのように2本の物干し竿を持つ。物干し竿の代わりにスキーや登山のストックを使ってもいい

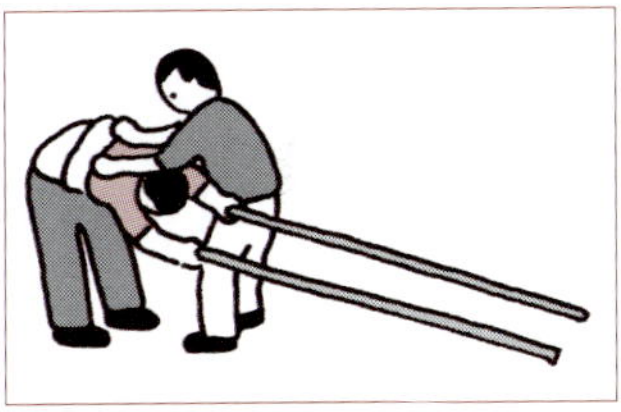

2 もうひとりが物干し竿を持っている人の上着を脱がせ

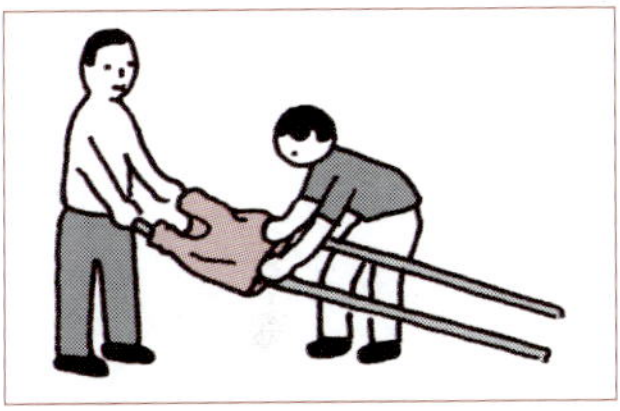

3 物干し竿に通していく

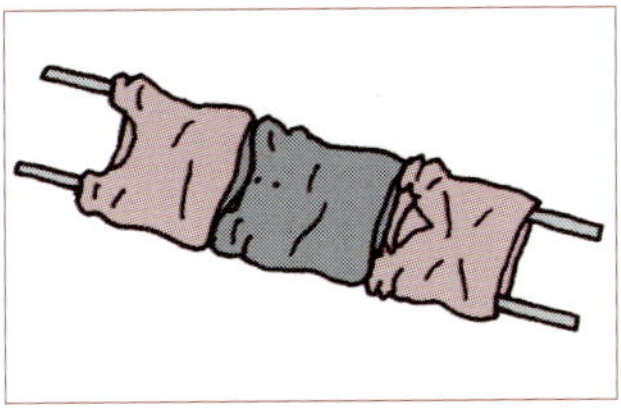

4 2〜3着分の上着を通して担架にする

ヤケドの応急処置

火災や落雷などの災害などによってヤケドを負ったときには、とにかく冷やすに限る。体の表面積の広い範囲にヤケドを負う重傷ならば、早急に救急車を呼んで医師の治療を受ける必要がある。

ヤケドを負ったらとにかく流水で冷やすこと。水疱が生じているときには、水疱を破らないように注意して冷やそう。衣類を着ていて熱湯などをかぶってしまった場合は、衣類ごと冷やす。あわてて脱ごうとすると、水疱が破れることがある

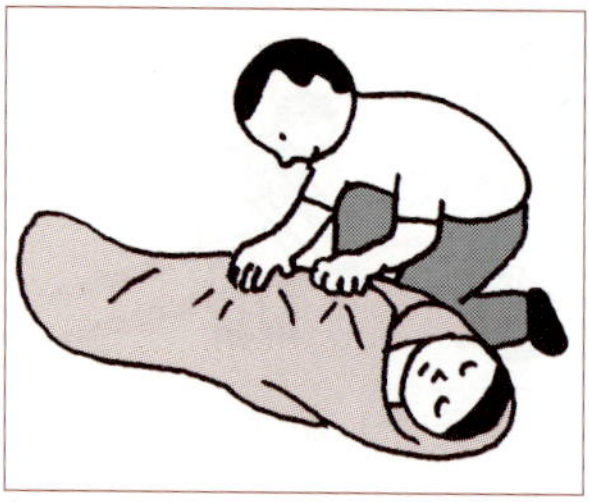

体の広い範囲に重傷のヤケドを負ったときは、シーツなどで体を包んで速やかに専門医の処置を受けること。体を包むタオルやシーツは、清潔で患部に刺激を与えない生地のものを用いる

ヤケドを負った場合、まずヤケドの程度をチェックする。ヤケドはその深さによって、次の3段階に分けられている。

第1度　表皮のみのヤケドで、皮膚が赤い状態。ヒリヒリ痛む。

第2度　表皮から真皮までの深さのヤケド。水疱《すいほう》が生じたり、水疱が破れたりしてただれ、かなりの痛みを感じる。

第3度　ヤケドが皮下脂肪にまで及び、皮膚は白っぽくなっている。傷自体は痛まないが、その周囲に激しい痛みを感じる。

第1度または第2度、第3度の狭い範囲のヤケドのときには、即座に水で冷やす。油や薬品類などは絶対に塗らないこと。きれいな冷水で15分以上、痛みが消えるまで冷やしたら、ガーゼなどを当てて保護し、包帯を巻いておく。第3度のヤケドだったら応急手当て後に医師の治療を受けること。

広い範囲の第2度、第3度のヤケドの場合は、冷やさずに清潔なタオルやシーツなどで患部や体を包み、できるだけ早急に医者の治療を受けなければならない。

●参考文献

『大震災サバイバル・マニュアル』朝日新聞社編（朝日新聞社）
『レスキュー・ハンドブック』藤原尚雄十羽根田治・著（山と溪谷社）
『これで安心　危機・災害マニュアル』白鳥 敬・著（誠文堂新光社）
『公認「地震予知」を疑う』島村英紀・著（柏書房）
『地震からわが子を守る防災の本』国崎信江・著／内野 真・絵（編集工房一生社）
『これだけは知っておきたいサバイバル術食入門』鈴木アキラ・著（山と溪谷社）
『monoセイフティ・マニュアル』（ワールドフォトプレス）
『東京大地震緊急防災マニュアル』地震災害対策研究会編（ぶんか社）
『自然災害を知る・防ぐ　第二版』大矢真彦・木下武雄・若松加寿江・羽鳥徳太郎・石井弓夫・著（古今書院）
『あした起きてもおかしくない大地震 21世紀・地震アトラス』島崎邦彦ほか・監修（集英社）
『THE地震展 関東大震災80年』（読売新聞東京本社）
『ドキュメント災害史1703-2003』（歴史民族博物館振興会）
『地震と社会 上・下』外岡秀俊・著（みすず書房）
『東海地震がわかる本』名古屋大学災害対策室・著（東京新聞出版局）
『火山に強くなる本』下鶴大輔監修、火山防災用語研究会編（山と溪谷社）
『理科年表』（丸善）
『登山者のための最新気象学』飯田睦次郎・著（山と溪谷社）
『ヤマケイ登山学校14　山の気象学』城所邦夫・著（山と溪谷社）
『雷から身を守るには　―安全対策Q&A改訂版―』（日本大気電気学会編）
『そのときどうする　防災サバイバル読本』総務省消防庁監修、東京消防庁編集（日本文化協会）
『応急手当講習テキスト』（千葉市防災普及公社）
『死都日本』石黒 耀・著（講談社）

緊急イエローページ

事前に見ておきたいホームページを以下に記す。
ハザードマップや避難地域など地域の情報については
各自治体のホームページなどを参照のこと。

■ 全般

内閣府防災担当

http://www.bousai.go.jp/

災害復旧・復興やボランティア情報など防災について多岐にわたる情報量は参考になる。

気象庁ホームページ

http://www.jma.go.jp/

気象・海洋・地震・火山の資料、情報を提供している。

日本気象協会

http://www.tenki.jp/index.html

リアルタイムで地震、津波、台風、火山の注意警報が確認できる。

NTT 西日本災害用伝言ダイヤル

http://www.ntt-west.co.jp/dengon/

災害伝言ダイヤルについての疑似体験もできる。

広域災害救急医療情報システム

http://www.wds.emis.or.jp/wds/wdtpmainlt.asp

医療機関や救命救急の連絡先が検索可能。

日本損保保険協会・防災の広場

http://www.sonpo.or.jp/cgi-bin/page_view.cgi

主な災害の基礎的な知識と備えについて詳細な情報を提供。

防災システム研究所ホームページ

http://www.bo-sai.co.jp/index.html

台風の基礎知識、津波の心得、阪神大震災の教訓など、防災の知識と教訓、対策をまとめている。過去の災害についても詳しい。

防災グッズ体験レポート

http://homepage2.nifty.com/bosaigoods/

まさかのときに備え防災食や非常食の体験レポート。

■ 地震・津波

Hi-net 高感度地震観測網

http://www.hinet.bosai.go.jp/

地震発生時に震源地や規模を速報的に掲載。

地震調査研究推進本部
http://www.jishin.go.jp/main/
過去と将来の地震を研究。詳細な活断層活動や予測の情報も。
日本地震学会
http://wwwsoc.nii.ac.jp/ssj/
震度階級や過去の地震資料を見ることができ、地震発生時の対処法などもある。
中日新聞　天災・人災
http://www.jwn.ne.jp/chunichi/saigai/
東海地震関連ニュースや津波、台風情報を中心に、防災のための読み物が充実。
文部科学省
http://www.mext.go.jp/
キーワード「地震」で検索すると、政府の防災体制などの報道資料が見られる。

■ 火災

総務省消防庁防災課
http://www.fdma.go.jp/
緊急時の対応を記した生活密着情報や阪神大震災でのデータベースは参考になる。

■ 台風

SABO国土交通省砂防部
http://www.mlit.go.jp/river/sabo/
土砂災害について。災害報告書などの資料を閲覧できる。

■ 雷

かみなりねっと
http://www.kaminari.gr.jp/
科学的な情報から文化的な情報まで、雷全般について。

■ 応急手当て

日本赤十字社
http://www.jrc.or.jp/
とっさのとき病気やケガについての対応策が網羅されている。

■ ボランティア

NHKボランティアネット
http://www.nhk.or.jp/nhkvnet/bousai/index_set.html
ボランティアに参加したい人と、募集する人を結ぶネットワーク。

*2004年3月末現在。ホームページアドレスは変更する可能性があります。

ブックデザイン――松澤政昭
写真――中村成勝、新井和也、岡野朋之、高井省三
株式会社ウェザーマップ、陸上自衛隊陸上幕僚監部広報
読売新聞社
イラストレーション――中村みつを
図版製作――クリエイト・ユー　吉田 寿
校正――中村貴弘
編集――岡山泰史

自然災害ハンドブック

2004年 6 月10日　初版第1刷発行
2005年 6 月30日　初版第5刷発行

著　者――アシトチエ・プレス
発行者――川崎吉光
発行所――株式会社山と溪谷社
〒107-8410　東京都港区赤坂1-9-13　三会堂ビル1階
電話　03-6234-1614（出版部）　03-6234-1602（営業部）
http://www.yamakei.co.jp/
振替　00180-6-60249
印刷・製本――大日本印刷株式会社

ISBN4-635-42032-9